KUNST?
KANN ICH!

20 Bastelideen – inspiriert von großen Kunstwerken

Joséphine Seblon
illustriert von Robert Sae-Heng

MIDAS

Inhalt

ALTE KUNST? KANN ICH!

KUNST?
KANN ICH!

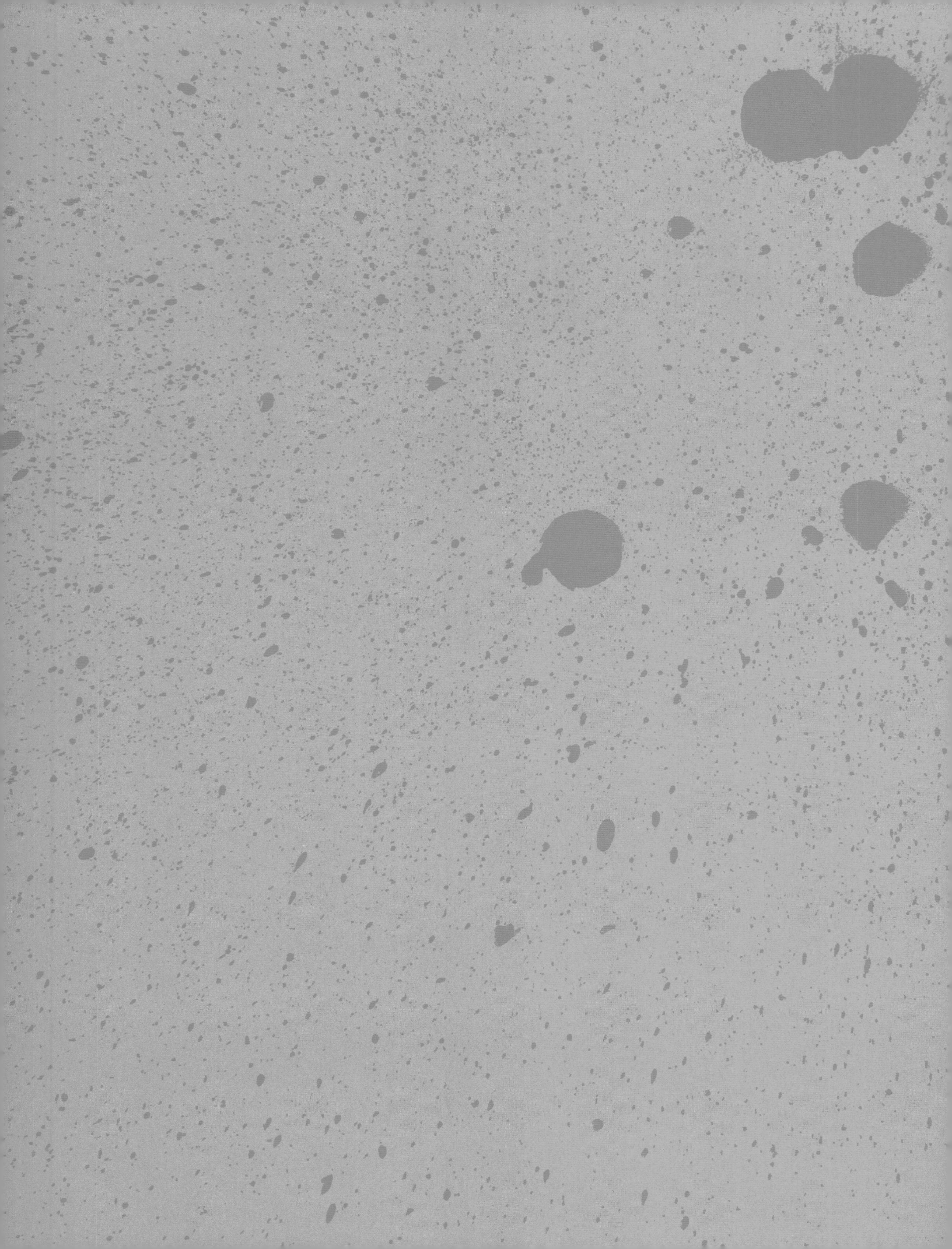

MODERNE KUNST? KANN ICH!

ZEITGENÖSSISCHE KUNST? KANN ICH!

EINFÜHRUNG

»Wer nichts imitieren will, produziert nichts.«

SALVADOR DALÍ

Der Weg eines jeden Kunstschaffenden fängt damit an, dass er oder sie sich andere ansieht und sie nachahmt. Bildende Künstler, Architektinnen und Designer lassen sich von anderen inspirieren. Nach und nach erkunden sie so die Kunstgeschichte und entdecken einen eigenen Stil und eine eigene Stimme.

Eines Tages fragte ich mich, wie ich meine beiden Kinder für Kunst begeistern könnte, und ich hatte eine Idee: Wenn sich Kunstschaffende durch die Werke anderer inspirieren lassen, was können dann Mini-Künstlerinnen und -Künstler aus der Kunstgeschichte lernen? Ich wollte, dass meine Kinder ihre Begeisterung fürs Basteln in Liebe zur Kunst verwandeln. Wissen über die Geschichte der Kunst würde ihre Fantasie und Kreativität anregen.
So entstand dieses Buch.

Mit jedem der 20 Projekte in diesem Buch können die Kinder berühmte Kunstwerke kennenlernen, deren Besonderheiten erleben und dann Schritt für Schritt ein eigenes Werk schaffen. Von Projekten, inspiriert von der Höhle Pech Merle bis hin zur gepunkteten Welt von Yayoi Kusama habe ich alle Aktivitäten mit meinen Kindern ausprobiert. Ich habe auch darauf geachtet, dass die Materialien leicht zu bekommen sind und nicht zu viel Unordnung entsteht. Sie können sich also auf das Schöne konzentrieren – Zeit mit Ihren Kindern zu verbringen, Spaß zu haben und dabei Mini-Kunstwerke entstehen zu lassen.

Joséphine Seblon

Pablo Picasso, *Claude Dessinant, Françoise et Paloma*, 1950

So geht dieses Buch

Eine Bastelkiste

Jedes Projekt enthält eine Liste mit den benötigten Materialien, doch es kann hilfreich sein, anderes Bastelmaterial zur Hand zu haben. Legen Sie eine Bastelkiste mit einer Grundausstattung an: weißes und farbiges Papier, Bleistifte und Buntstifte, auswaschbare Farben, Knete, Schere und Kleber. Sie können auch gebrauchte Materialien wiederverwenden, wie Karton, Schwämme, Zahnbürsten und Alufolie.

Das richtige Projekt

Für jedes Projekt sind etwa fünf Minuten Vorbereitungszeit nötig, auch das Aufräumen dauert nicht länger. Und der Spaß hält so lange an, wie die Kinder bei der Stange bleiben. Es ist also sinnvoll, ein Projekt auszusuchen, auf das sie gerade Lust haben. Behalten Sie dabei die Interessen der Kinder, die Techniken, die ihnen Spaß machen, und die vorhandenen Materialien im Hinterkopf.

Verschiedene Techniken

Es gibt viele verschiedene Möglichkeiten, Gegenstände zum Leben zu erwecken. Probieren Sie mit Ihren Kindern die beliebtesten Techniken aus und experimentieren Sie ruhig. Warum soll bei Malen und Zeichnen Schluss sein? Es gibt so vieles mehr: Ausschneiden, Modellieren, Zusammensetzen, Kleben, Schnitzen, Mosaik, Drucken, Installationen etc.

Ein eigenes Projekt

In den Einleitungen der Kapitel erhalten Sie Informationen zu den Kunststilen, deren Meister dann vorgestellt werden. Das heißt jedoch nicht, dass die Kinder die Werke exakt kopieren müssen – lustig wird es, wenn sie eigene Ideen umsetzen. Wenn sie sich gerade für Dinosaurier begeistern, könnten sie doch ein Dino-Mosaik bauen! Oder gefällt ihnen der Weltraum? Ein Bleiglas-Sonnensystem käme vielleicht gut an.

ALTE KUNST?
KANN ICH!

Haben Sie sich jemals gefragt, welche Rolle Kunst aus der Vergangenheit heute spielt? Viele berühmte Kunstschaffende begeisterten sich für die »Ursprünge« der Kunst. Sie interessierten sich für die frühen Werke – und vielen kunstbegeisterten Kindern geht es heute ähnlich.

Alte Kunst zu betrachten kann sehr inspirierend sein. Die Künstlerinnen und Künstler der Vergangenheit haben im Laufe der Jahrhunderte mit vielen verschiedenen Techniken experimentiert – die besten finden Sie in diesem Buch. Wir werden natürlich zeichnen und malen, aber wir werden auch sprühen, drucken, modellieren und sogar Projekte herstellen, die von Bleiglas und Mosaiken inspiriert sind. Bereits die ersten Menschen wollten Bilder von Dingen aus ihrer Umgebung schaffen: Tiere, menschliche Hände, Gesichter und Landschaften. Bilden auch Sie mit Ihren Kindern die Schönheit nach, die Sie um sich herum erleben.

Eiszeit-Schablonen

Die Pferde von Pech Merle

schau an!

Malereien von Pferden in der Höhle von Pech Merle, ca. 15.000 v. Chr.

Diese Aktivität ist von Höhlenmalereien inspiriert, die in den Höhlen von Pech Merle in Frankreich bereits vor Tausenden von Jahren entstanden. Damals nutzten die Menschen Knochenröhrchen, um die Farbe an die Höhlenwände zu sprühen. Als Schablonen dienten ihre Hände.

überleg mal!

Stell Dir vor, Du stehst in einer Wohnhöhle. Das Foto oben zeigt, wie die Wände dekoriert waren. Meinst Du, die Malerinnen und Maler durften die Wände bemalen?

- Was haben die Höhlenmaler gezeichnet?
- Erkennst Du Tiere? Welche?
- Kannst Du die Punkte zählen?
- Kannst Du Hände und Füße sehen?

probier's aus!

Keine Sorge, wenn Du keine Knochenröhrchen finden kannst, um die Pigmente wie die Menschen in der Urzeit zu versprühen – eine Zahnbürste tut es auch.

Du brauchst:

- Auswaschbare Farbe in Rot und Braun
- 2 kleine Schalen
- Eine Schale oder einen Becher Wasser
- Eine Zahnbürste (muss nicht neu sein)
- Papier (Packpapier ist ideal, denn es sieht aus wie die Wand einer Höhle!)
- Schere

Vergiss nicht, zuerst etwas Zeitung auszulegen. Höhlenmalerei kann schmutzig werden!

1

Fülle braune und rote Farbe in zwei Schälchen. Lege eine Hand auf ein Blatt Papier.

2

Tauche die Zahnbürste in die rote Farbe und spritze diese mit dem Daumen auf die Ränder der Hand, die auf dem Papier liegt.

3

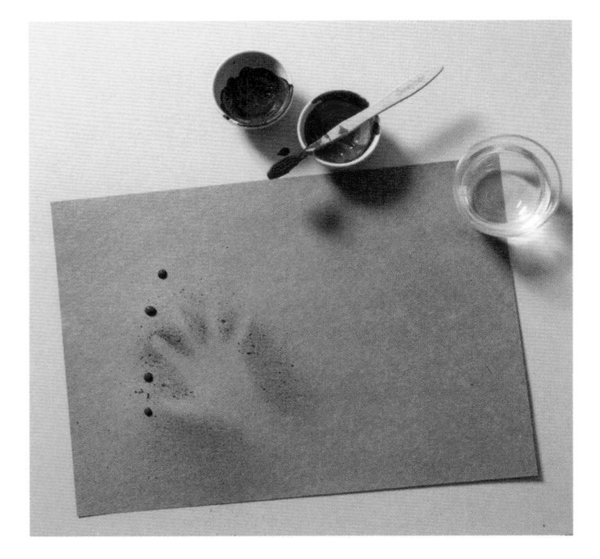

Spritze weiter, bis die Farbe rund um Deine Hand versprüht ist. Warte einen Moment, bis die Farbe getrocknet ist, dann kannst Du die Hand wegnehmen.

4

Schneide als Nächstes den Umriss eines Tieres aus einem anderen Blatt Papier aus. Platziere ihn neben dem Handumriss auf dem braunen Papier.

Top-Tipp! Diese Technik erfordert einiges Geschick. Wenn Du selbst deine Hand nicht bespritzen kannst, lass Dir von Erwachsenen oder Freunden helfen. Wechselt euch ab!

5

Spritze nun mit derselben Technik braune Farbe um die Ränder der Tierschablone. Entferne die Schablone, wenn Du fertig bist.

6

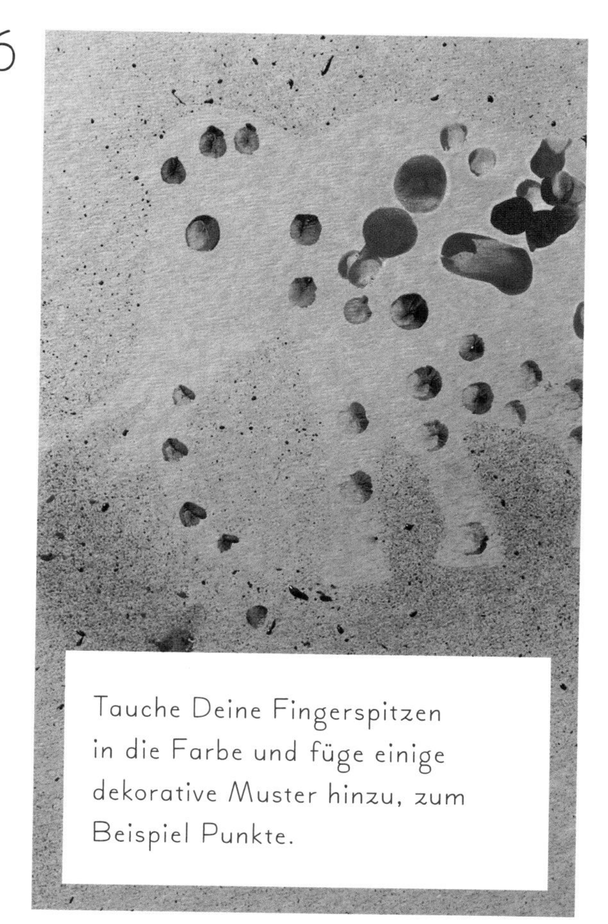

Tauche Deine Fingerspitzen in die Farbe und füge einige dekorative Muster hinzu, zum Beispiel Punkte.

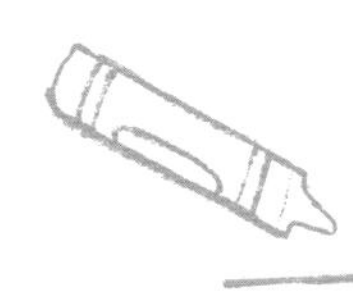

Was noch?

Schablonen sind nicht die einzige Möglichkeit, den Umriss eines Tieres zu Papier zu bringen. Du kannst auch Schatten nachzeichnen. Stelle an einem sonnigen Tag ein Spielzeugtier auf das Papier und zeichne den Schattenwurf nach. Nachzeichnen ist toll, um die Beobachtung zu trainieren.

Symbole auf Ton

Sumerische Keilschrift-Tafeln

schau an!

Sumerische Tafel, ca. 2350 v. Chr.

Tafeln wie diese wurden von den Sumerern in Mesopotamien hergestellt. Sie gelten als die ältesten Schriftstücke, die Zeichen nennt man »Keilschrift«. Die Linien, Formen und Symbole auf dieser Tafel zeichnen die Anzahl von Ziegen und Schafen auf, auf die ein sumerischer Hirte aufpassen musste.

überleg mal!

Stell Dir vor, wie eine Postkarte für einen Außerirdischen aussehen würde.

Für ihn wäre sie voller geheimnisvoller Symbole, genau wie die Tafeln für uns!

- Was steht wohl auf dieser Tafel? Könnte sie ein Rezept, ein Kalender oder eine Schatzkarte sein?
- Kannst Du irgendwelche Formen erkennen? Vielleicht Dreiecke oder kleine Monde?
- Was bedeuten wohl diese Symbole?

probier's aus!

Erfinde Deine eigene Schrift, um eine Geheimbotschaft auf einer Tontafel zu hinterlassen.

Du brauchst:

- Lufttrocknenden Ton
- Messer und Gabel aus Kinderbesteck (oder Trinkhalme, Stäbchen, Modellierwerkzeug, z. B. einen Stylus)

Ton kann an Oberflächen kleben, arbeite also besser mit einer Unterlage oder draußen.

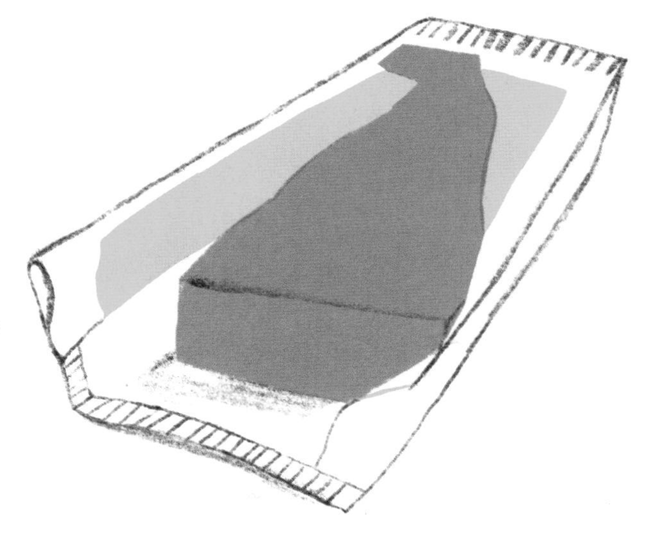

1

Forme eine Tonkugel.

2

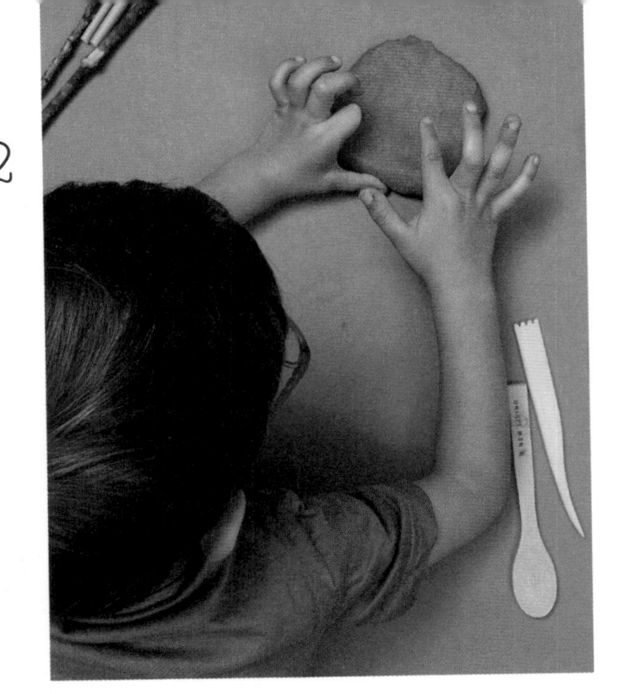

Drücke sie mit den Händen platt und forme daraus ein flaches Quadrat. Das wird Deine Tontafel.

3

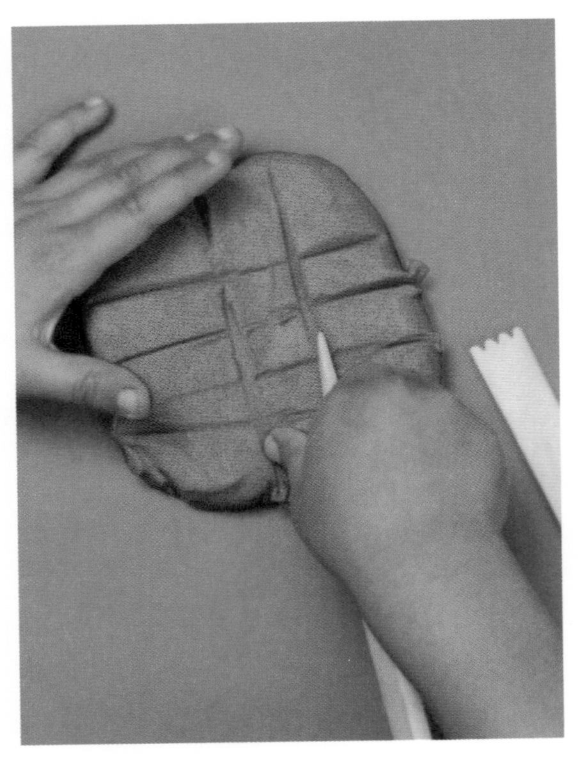

Ziehe Dein Kindermesser oder Dein Modellierwerkzeug über die Oberfläche der Tafel. Zeichne horizontale und vertikale Linien, um ein Raster zu erzeugen.

4

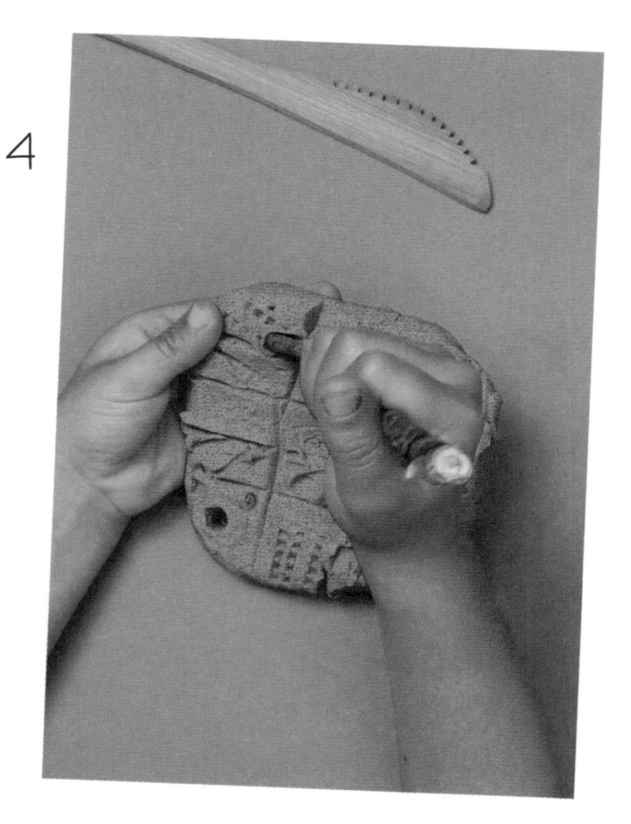

Nun die Geheimbotschaft: Zeichne mit Deinem Werkzeug oder mit einem Stäbchen Zeichen wie in der Keilschrift. Du kannst alle möglichen Formen verwenden, also Punkte, Sterne, Quadrate, Kreise und Monde.

Lass Deine Keilschrifttafel trocknen. Deine Botschaft ist fertig!

Top-Tipp! Du kannst alle Fehler korrigieren, indem Du den Ton mit Wasser anfeuchtest und die Zeichen neu modellierst.

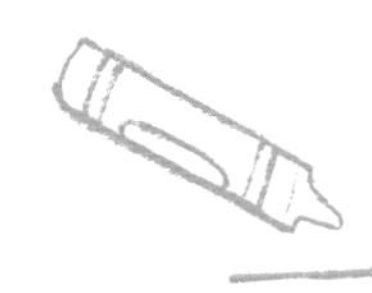

Was noch?

Wenn Du das nächste Mal mit Ton arbeitest, probiere doch mal eine Stempeltechnik aus. Forme den Ton zunächst zu einem langen, dicken Streifen (ein Nudelholz kann dabei helfen). Dann nimmst Du Deine kleinen Lieblingsspielzeuge (am besten aus Holz oder Plastik) und drückst sie in die Tonoberfläche, um ihre Formen abzubilden.

Magischer Hippo

Antike Kunst Ägyptens

schau an!

Nilpferd-Figur, ca. 1961-1878 v. Chr.

Kein gewöhnliches Haustier, oder? Im alten Ägypten trugen die Menschen gerne eine blaue Nilpferdfigur bei sich, wenn sie bestattet wurden. Sie glaubten, sie würde ihnen helfen, auf magische Weise wiedergeboren zu werden.

überleg mal!

Diese Figur ist mit Lotosblüten bedeckt. Lotosblüten stehen nicht nur für den Fluss, in dem Nilpferde leben, sondern auch für die Vorstellung von Leben und Wiedergeburt im alten Ägypten.

- Welche ist Deine Lieblingsblume? Wenn Lotosblumen für Leben und Wiedergeburt stehen, wofür steht Deine?
- Wusstest Du, dass die alten Ägypter das Nilpferd für eines der gefährlichsten Tiere hielten? Sieht dieses Nilpferd für Dich unheimlich aus?
- Welche Farbe hat ein Nilpferd normalerweise? Gefällt es Dir in Blau?

probier's aus!

Stelle Deine eigene Tierfigur her wie die alten Ägypter.

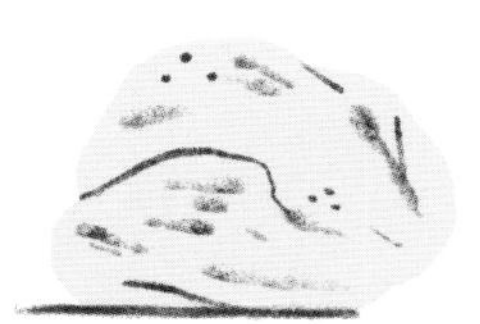

Du brauchst:

- Lufttrocknenden Ton
- Eine Schüssel Wasser
- Blaue und weiße wasserlösliche Farbe – mische sie, um Deinen Lieblingsfarbton herzustellen
- Pinsel
- Schwarzen Stift

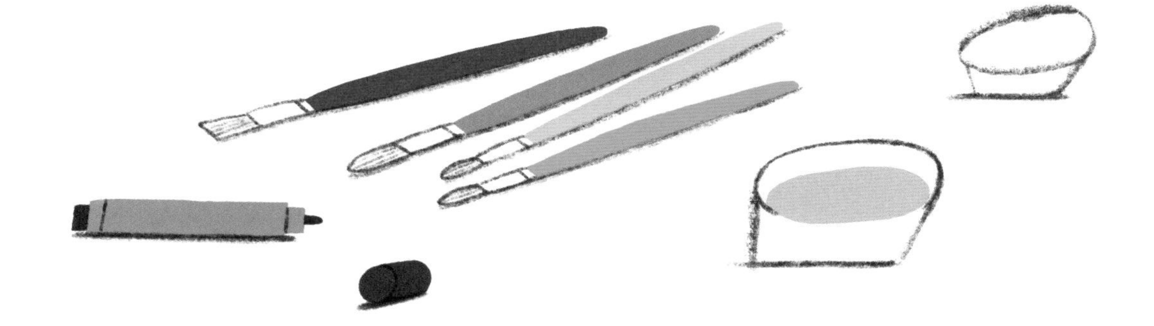

1

Forme aus einer Tonkugel einen Zylinder. Das wird der Körper Deines magischen Nilpferdes.

2

Forme als Nächstes vier kleine Beine. Sie sollten die Form kleinerer Zylinder haben.

3

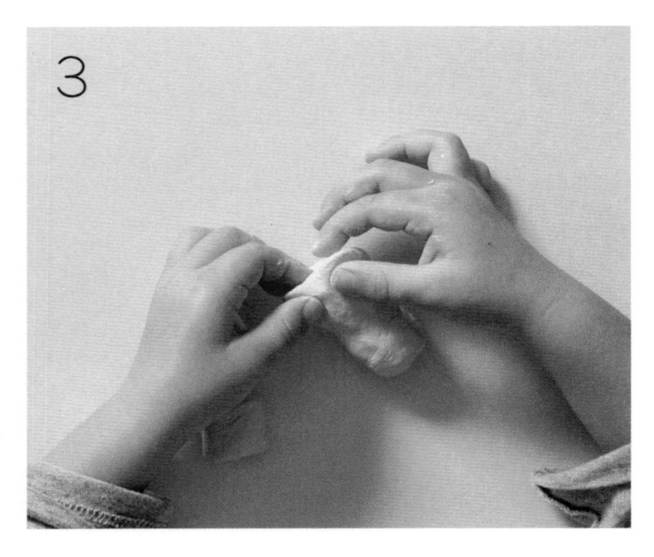

Forme dann einen Hals, der dicker ist als die Beine, und einen Kopf. Drücke den Ton etwas zusammen, um kleine Ohren herauszuarbeiten.

4

Setze den Körper mit den vier Beinen und Kopf bzw. Hals zusammen. Das ist der komplizierteste Teil. Befeuchte die Teile mit etwas Wasser, damit sie besser aneinanderkleben.

Top-Tipp! Der Kopf sollte nicht zu groß sein – wenn er zu schwer ist, kippt Deine Figur um.

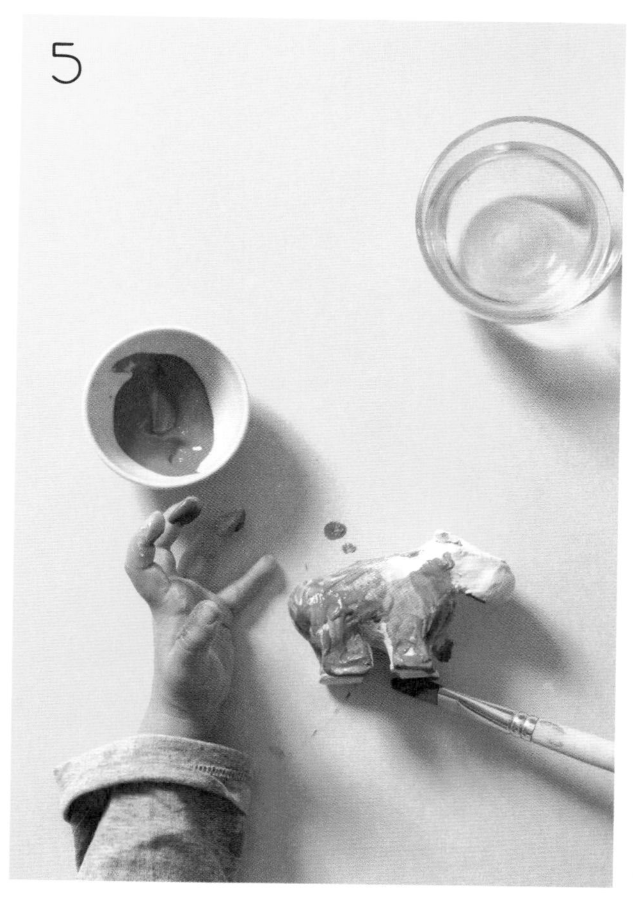

Lass die Figur trocknen – am besten über Nacht, mindestens jedoch einige Stunden. Wenn der Ton getrocknet ist, kannst Du ihn mit Deinem Lieblings-Blau anmalen.

Lass die Farbe trocknen. Zeichne dann mit einem schwarzen Stift die Augen, das Maul und die Lotosblüten (oder Deine Lieblingsblumen), um den Hippo zu dekorieren.

Was noch?

Die alten Ägypter liebten Katzen. Warum schenkst Du Deinem Nilpferd nicht einen Gefährten, indem Du Deine eigene Katzenfigur aus Ton bastelst? Nach Ansicht der alten Ägypter bringt eine Katze auch Gerechtigkeit und Macht.

Neblige Landschaften

Chinesische Tuschezeichnungen

schau an!

Fan Kuan, *Reisende unter den Bergen und Bächen*, ca. 1000 n. Chr.

Dieses chinesische Landschaftsgemälde ist sehr groß – es ist mehr als 2 Meter hoch und zeigt die Natur in ihrer ganzen Pracht. Der chinesische Begriff für »Landschaftsmalerei« – shanshui hua – bedeutet wörtlich »Berg-Wasser-Malerei«. Du verstehst wahrscheinlich, warum!

Überleg mal!

Schau aus dem Fenster und beschreibe, was Du siehst.

Betrachte dann dieses Gemälde und stell Dir vor, das wäre der Blick aus dem Fenster – Kunst kann uns in andere Zeiten und an andere Orte versetzen.

- Erkennst Du die Reisenden und den Wasserfall?
- Wohin würdest Du gehen, wenn Du das Bild betreten könntest?
- Welche Jahreszeit wird hier dargestellt? Und welche Tageszeit?

probier's aus!

Male Deine eigene neblige Landschaft. Füge Wasser und einen Berg ein, wie bei einem traditionellen chinesischen Landschaftsbild.

Du brauchst:

- Eine Rolle Papier (Du kannst auch mehrere Blätter zusammenkleben)
- Vier Schüsseln
- Auswaschbare schwarze Farbe (für ältere Kinder auch Tusche)
- Wasser
- Pinsel
- Roten Stift

1

Lege zunächst die Papierrolle aus. Bereite vier Schalen mit Farbe vor und füge Wasser hinzu, um Schwarz, Dunkelgrau, Grau und Hellgrau zu erhalten. Je mehr Wasser Du hinzufügst, desto heller wird der Grauton.

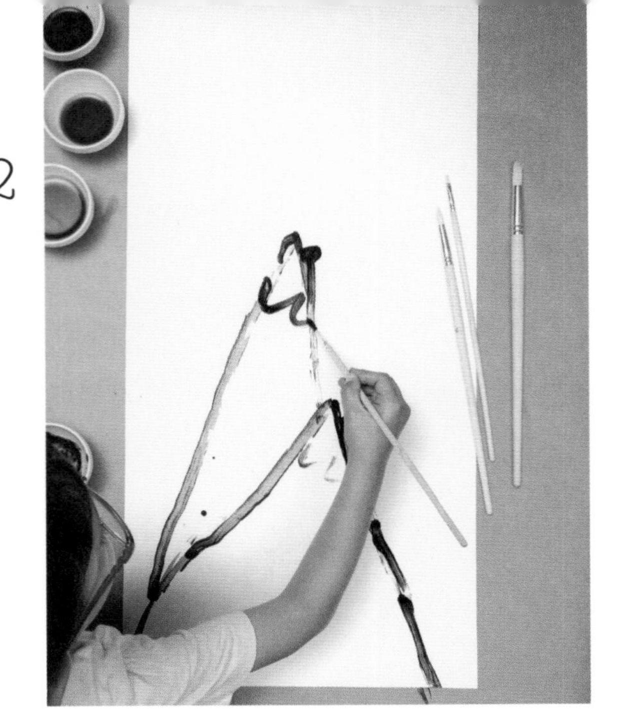

2

Stell Dir eine wunderschöne Berglandschaft vor. Male die Umrisse mit schwarzer Farbe mit dem Pinsel.

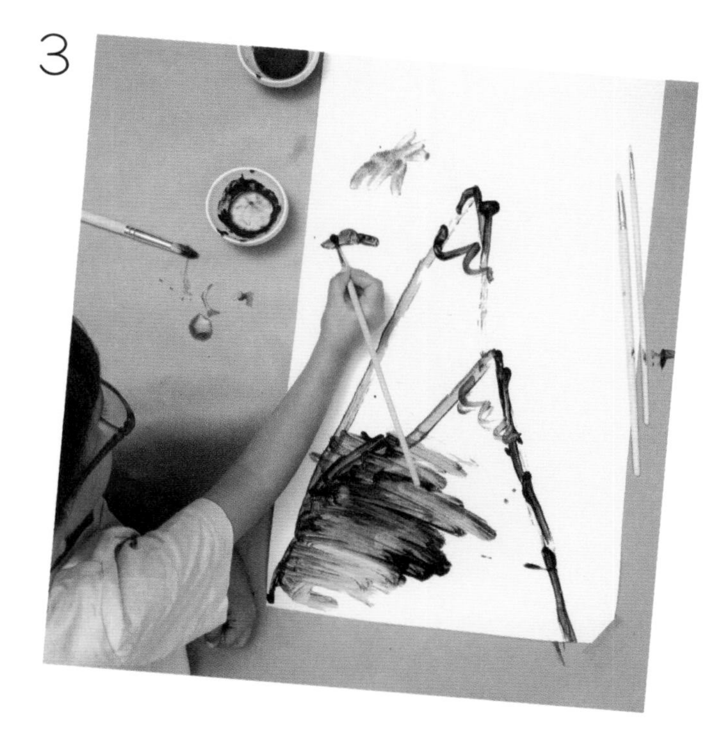

3

Füge mit Dunkelgrau die Strukturen der Berge und Bäume hinzu.

Top-Tipp! Es ist völlig okay, wenn die Rolle nicht ganz ausgemalt ist. Mit etwas mehr Leerraum wirkt Dein Bild noch verträumter und sogar poetisch.

4

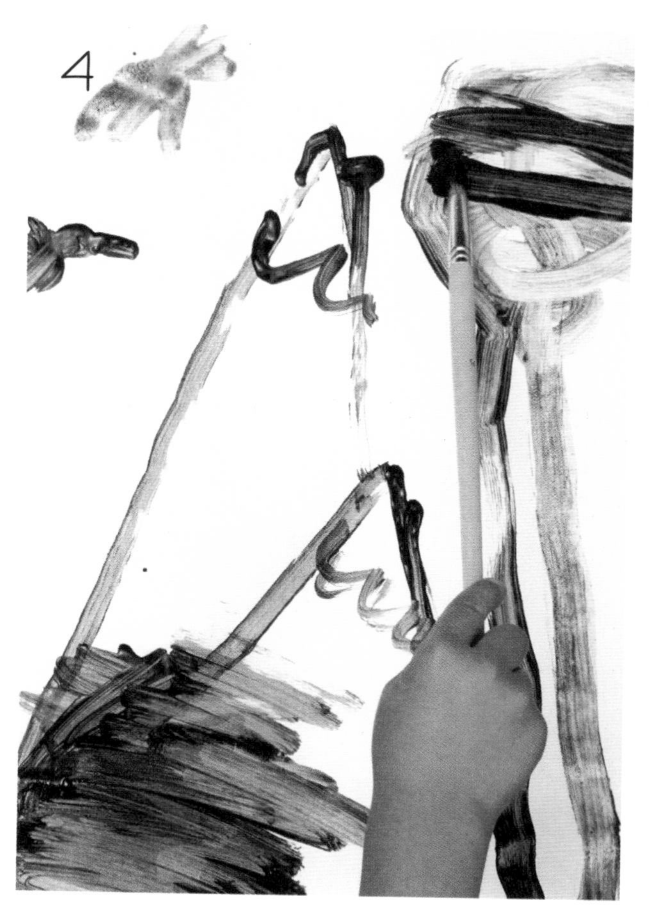

Male Details wie Wasserfälle, Felsen und Wolken in helleren Grautönen, bis die Szene vollständig ist.

5

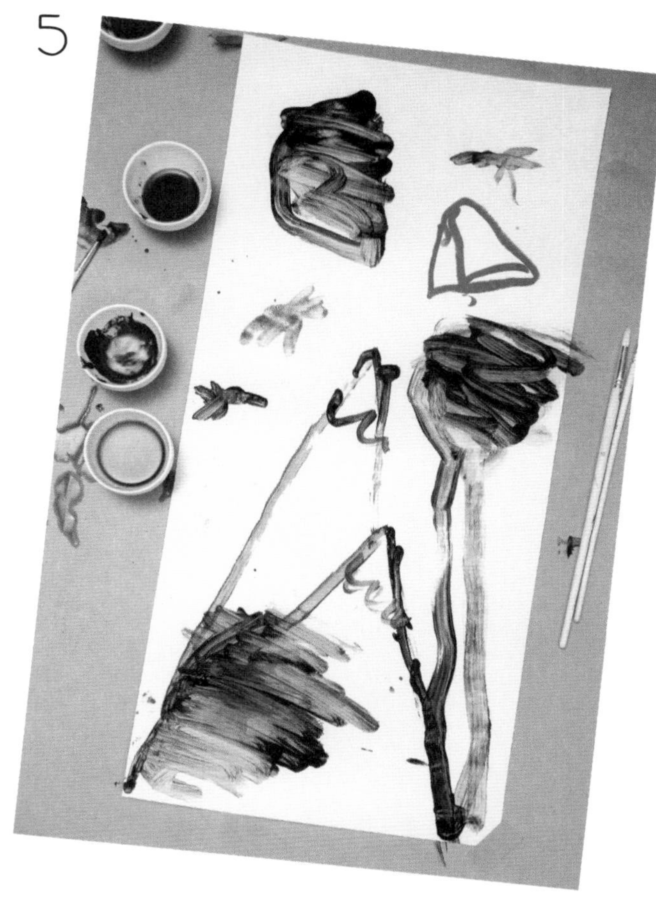

Signiere das Bild, indem Du mit dem roten Stift den Anfangsbuchstaben Deines Namens in eine Form (Quadrat oder Dreieck) schreibst.

Was noch?

Chinesische Maler waren Meister der Kalligrafie. Nimm ein großes Blatt Papier und male mit schwarzer Farbe und einem Pinsel Kringel und eine verschnörkelte Version Deines Namens oder Deiner Lieblingszahlen auf.

Regenbogen-Fenster

Bleiglas aus dem Mittelalter

schau an!

Bleiglasfenster in der Sainte-Chapelle in Paris, Frankreich, 1242–48 N. CHR.

Was für Fenster! Die Wände scheinen fast vollständig aus buntem Glas zu bestehen. In der Oberkapelle der Sainte-Chapelle (»Heilige Kapelle«) in Paris ist das Licht an einem sonnigen Tag magisch. Dieses Juwel der gotischen Architektur verfügt über einige der schönsten Glasmalereien der Welt.

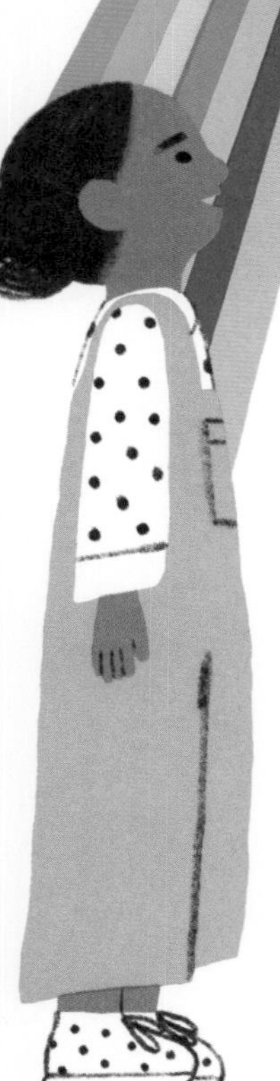

überleg mal!

Glasmalerei und das Färben von Glas waren im Mittelalter in Europa eine wichtige Kunstform – für mehr als sechs Jahrhunderte! Verstehst Du, warum sie so lange beliebt war?

- Findest Du alle Farben des Regenbogens in diesem Fenster?
- Was spürst Du, wenn Du diese Fenster anschaust? Macht Dich das glücklich?
- Was meinst Du, wofür ein solcher Ort verwendet wurde?

probier's aus!

Nun bist Du dran:
Bastele selbst ein
buntes mittelalterliches
Bleiglasfenster.

Du brauchst:

- Schwarzen Karton
- Bleistift
- Schere
- Seidenpapier in verschiedenen Farben, in kleine Stücke geschnitten oder gerissen
- Kleber
- Malerkrepp oder Klebepads

1

Zeichne auf schwarzem Karton die Form eines gotischen Fensters mit einem flachen Boden und zwei hohen, geschwungenen Seiten, die sich oben in einem Punkt treffen. Zeichne die Fensterscheiben im Inneren des Rahmens.

2

Schneide den Umriss des Fensters aus.

3

Schneide nun die Fensterscheiben aus. (Vielleicht bittest Du Deine Eltern um Hilfe.)

4

Lege nun bunte Seidenpapier-Schnipsel über die Rahmen. Achte darauf, dass keine Löcher entstehen.

5

Befestige die Schnipsel mit Kleber oder Klebeband am Rahmen.

6

Drehe nun den Rahmen um, dann siehst Du Dein Bleiglasfenster. Du kannst es sogar am Fenster im Kinderzimmer befestigen, damit die Sonne hindurchscheinen kann.

Top-Tipp! Versuche, Paare von Komplementärfarben nebeneinander zu platzieren, also Orange und Blau, Violett und Gelb, Rot und Grün.

Was noch?

Die Künstler des Mittelalters waren Meister des Lichts. Versuch doch mal, eine kleine Laterne aus buntem Glas zu basteln. Nimm ein Glasgefäß und klebe buntes Seidenpapier auf die Außenseite. Bitte einen Erwachsenen, ein Teelicht anzuzünden, das Ihr hineinstellt, um Deine Laterne zum Leben zu erwecken!

Mosaik-Gesichter

Aztekische Masken

schau an!

Mosaikmaske, 1400-1521 n. Chr.

In vielen präkolumbianischen Kulturen Mexikos waren Masken religiöse Objekte. Dieses auffällige Stück aus der aztekischen Kultur wurde wahrscheinlich bei religiösen Zeremonien getragen. Es ist aus Zedernholz gefertigt und mit türkisfarbenem Mosaik überzogen. Die Augenlöcher sind aus Perlmutt und die Zähne aus Muschelschalen.

überleg mal!

Das ist eine gruselige Maske. Manche Menschen fürchten sich davor – wie geht es Dir, wenn Du sie anschaust?

- Wen soll diese Maske wohl darstellen? Einen König? Einen Gott? Experten meinen, es könnte das Gesicht von Xiuhtecuhtli, (Schu-te-kuht-li) sein, dem aztekischen Gott des Feuers. Aber sicher sind sie nicht.
- Kennst Du die verschiedenen Teile des Gesichts?
- Wie könnte eine solche Maske benutzt worden sein?

Stelle eine eigene Mosaikmaske her – inspiriert durch die Azteken.

Du brauchst:

- Karton
- Selbstklebende Moosgummi-Mosaikbögen
- Bleistift
- Schwarzen Filzstift oder Fineliner
- Schere

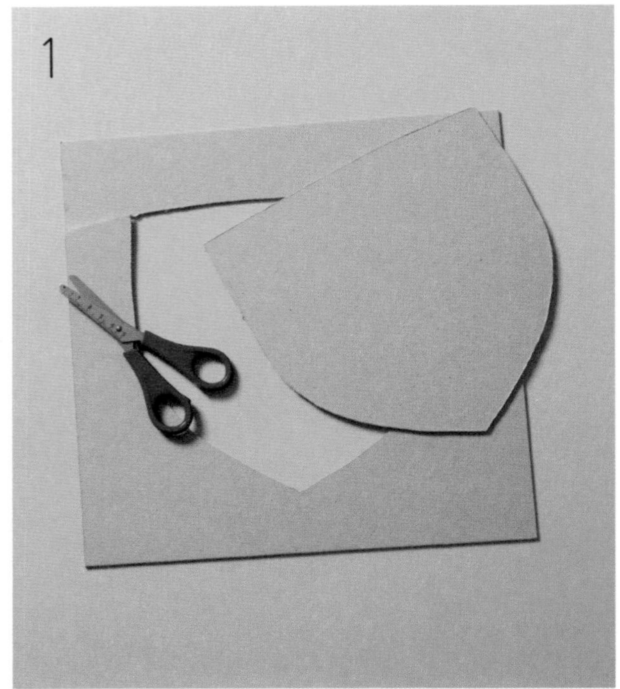

Zeichne den Umriss einer Maske auf den Karton. Schneide die Maske entlang der Linie aus.

Zeichne Augen, Nase und Mund auf.

Klebe weiße oder silberfarbene Mosaikquadrate auf Augen und Zähne. Für die Augenwinkel schneidest Du am besten ein Quadrat in zwei kleine Dreiecke. Setze je ein Dreieck am rechten und linken Augenwinkel an.

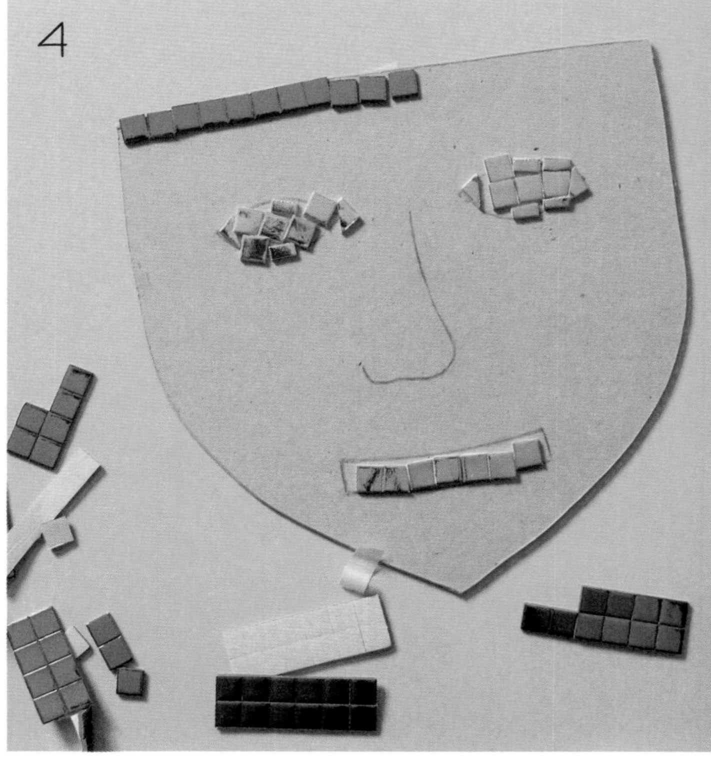

Nun kannst Du den Rest des Gesichts mit bunten Mosaikteilen verzieren.

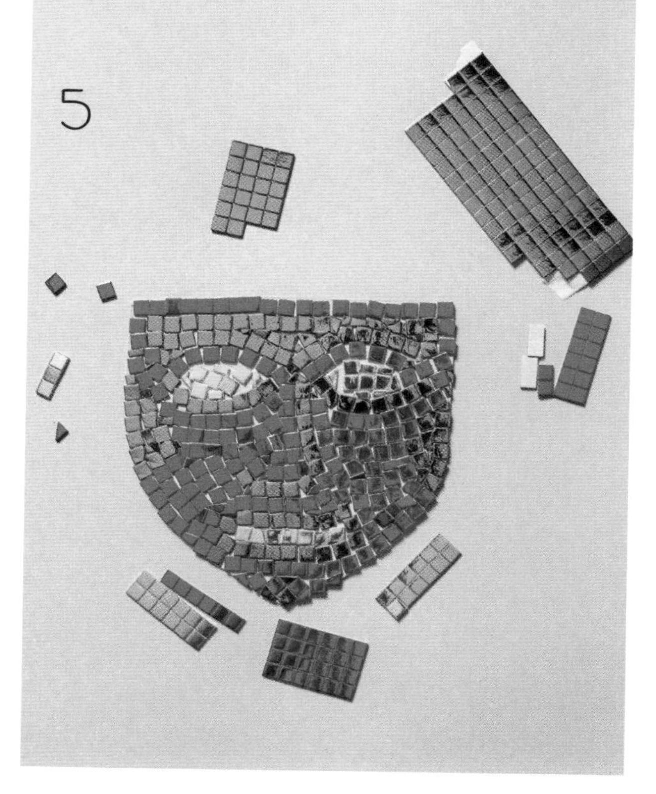

Fahre fort, bis die gesamte Maske mit Mosaikteilchen besetzt ist.

Mit dem schwarzen Stift zeichnest Du die Pupillen in die Augen. Die Maske kannst Du an Deine Zimmertür hängen, wenn Du nicht gestört werden willst.

Top-Tipp! Statt die Mosaikteile in geraden Linien aufzukleben, folge dem Umriss der Maske sowie der Augen, der Nase und des Mundes.

Was noch?

Wenn Du Mosaikplättchen übrig hast, kannst Du eine aztekische Schlange mit zwei Köpfen basteln. Nimm etwas Pappe und zeichne eine Schlange mit Köpfen auf jeder Seite. Zeichne Kiefer mit scharfen Zähnen, damit sie gefährlich aussieht! Schneide die Schlange aus und füge dann genau wie bei Deiner Maske Mosaikquadrate hinzu.

MODERNE KUNST?
KANN ICH!

Moderne Kunst wird von Künstlerinnen und Künstlern mit demselben Ziel geschaffen – sie lehnen die künstlerischen Traditionen ab und experimentieren. Die Kunstschaffenden in diesem Kapitel wirkten im 20. Jahrhundert. Viele von ihnen haben sich von älteren Kunstformen inspirieren lassen. Moderne Kunstwerke haben oft eine Einfachheit und emotionale Unmittelbarkeit, die auch kunstschaffende Kinder anspricht. Von der Abstraktion bis zur gegenständlichen Kunst geht es in diesem Abschnitt darum, die visuelle Sprache von Formen, Farben und Linien zu erkunden. Nicht alle diese Projekte beziehen sich direkt auf die Welt um uns herum, aber sie alle können die Gefühle und Ideen von Kindern widerspiegeln. Dies kann eine befreiende Erfahrung sein und ist perfekt für alle, die lernen, sich auszudrücken.

Abstrakte Weberei

Anni Albers

schau an!

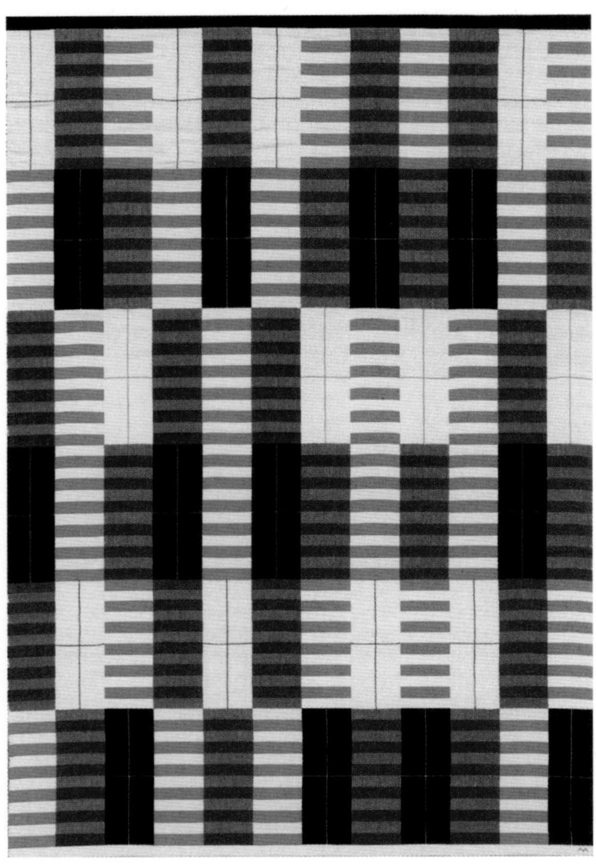
Anni Albers, *Schwarz Weiß Rot*, 1926/1964

Als die Textilkünstlerin Anni Albers diesen abstrakten Wandbehang entwarf, interessierte sie sich für die Farbkombinationen. Sie entwickelte diesen Stil, als sie am Bauhaus in Deutschland studierte. Das Bauhaus war eine Kunstschule, die Handwerk und bildende Kunst verband.

überleg mal!

Was meinst Du, woraus besteht dieses Kunstwerk?

- Anni Albers interessierte sich für das Weben als Kunstform. Glaubst Du, ein Teppich oder ein Vorhang können Kunstwerke sein?
- Welche Farben erkennst Du in diesem Kunstwerk? Passen sie zueinander?
- Gefällt Dir das Muster? Woran erinnert es Dich? An einen Stadtplan? Oder an Eisenbahnschienen?

probier's aus!

Webe ein eigenes Kunstwerk – aus Papier.

Du brauchst:

- Tonpapier (A4-Blatt)
- Streifen aus Tonpapier (A4-Blätter in verschiedenen Farben, in etwa 2 cm breite Streifen geschnitten)
- Schere
- Kleber

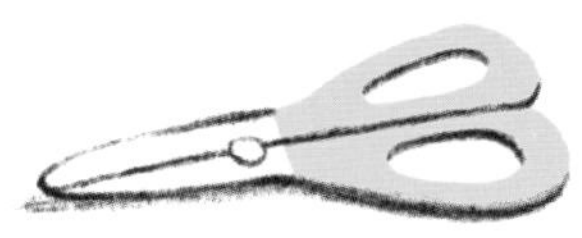

1

Falte ein A4-Blatt horizontal. Das ist Dein »Webrahmen«.

2

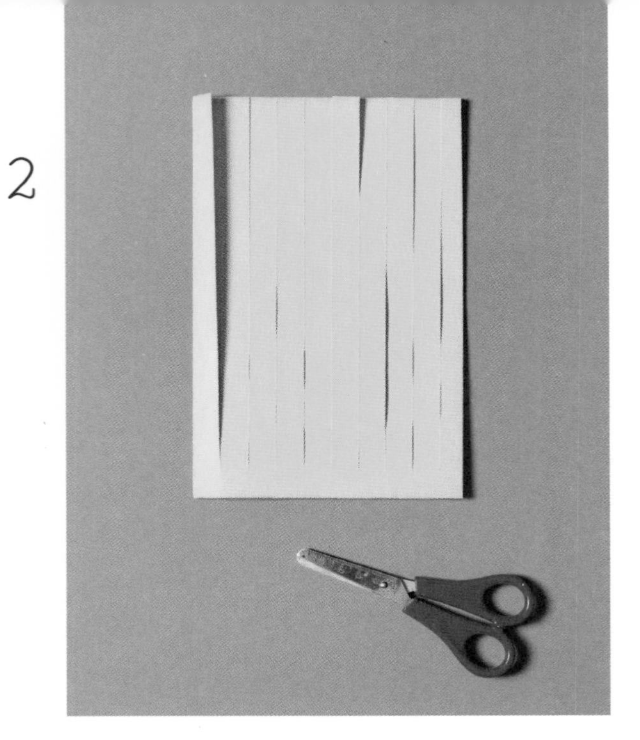

Schneide Schlitze in die obere Hälfte des gefalteten Papierrahmens. Beginne an der kurzen Seite des Papiers zu schneiden und lass am Ende etwa 2 cm stehen.

3

Webe einen Papierstreifen in die parallelen Schlitze Deines Rahmens - immer über und unter das Papier. Wenn Du fertig bist, schiebe den Streifen vorsichtig ans Ende des Rahmens.

4

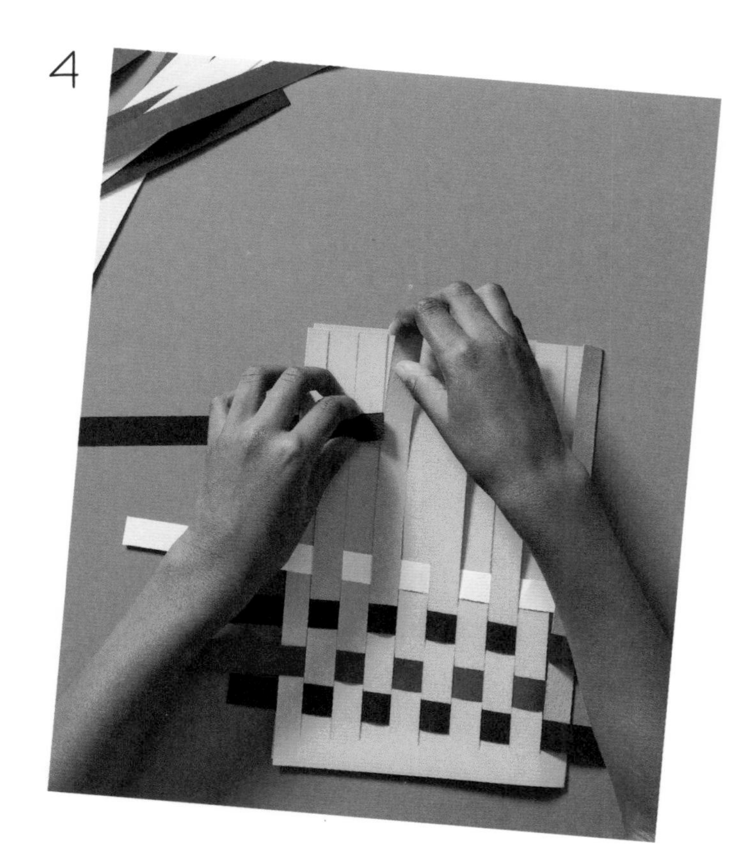

Webe weitere Streifen ein - beginne umgekehrt, also erst unter und dann über den Streifen. Verwende unterschiedliche Farben, um ein aufregendes Muster zu erzeugen.

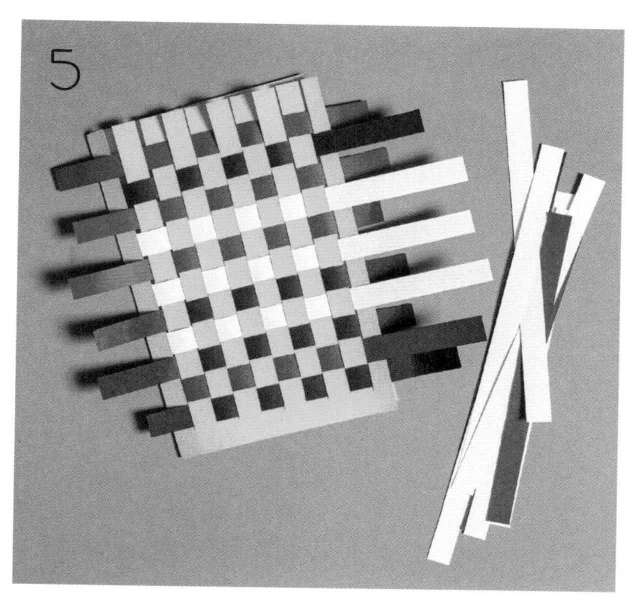

Füge weitere Papierstreifen hinzu, bis alle Schlitze in Deinem Papierrahmen gefüllt sind. Klebe die Streifen am Ende fest.

Falte die Streifen um den Rand des unteren Teils Deines Rahmens und klebe sie an. Klebe die beiden Lagen Deines Rahmen aufeinander.

TOP-TIPP! Es kann hilfreich sein, die parallelen Linien mit einem Lineal aufzuzeichnen, bevor Du Dein Muster einschneidest.

Was noch?

Da Du nun die Grundlagen des Webens gelernt hast, kannst Du Dich von mexikanischen Webtraditionen inspirieren lassen: Du kannst statt Papierstreifen auch Bänder verwenden. Klebe Eisstiele zu einem Rahmen zusammen. Binde Fäden in parallelen vertikalen Linien an, und webe dann Bänder über und unter die Fäden, bis der Rahmen ausgefüllt ist.

Seifen-Skulpturen

Barbara Hepworth

schau an!

Barbara Hepworth, *Oval sculpture, (No. 2)*, 1943

Die britische Künstlerin Barbara Hepworth schuf abstrakte Skulpturen, die von der Natur und ihrer Umgebung inspiriert waren. Ihr Werk wurde häufig vom menschlichen Körper sowie von den Landschaften und natürlichen Materialien in Cornwall beeinflusst, wo sie ein Atelier und einen Skulpturengarten hatte.

überleg mal!

Ist das ein Riesen-Ei mit Löchern? Was könnte es sein, und wie wurde es, was es ist? Sieht es aus wie ein Stein, der von Menschenhand bearbeitet wurde?

- Welche geometrischen Formen erkennst Du?
- Was meinst Du, woraus die Skulptur bestehen könnte?
- Ob sie wohl schwer ist?
- Würdest Du gern einmal um sie herumgehen?

probier's aus!

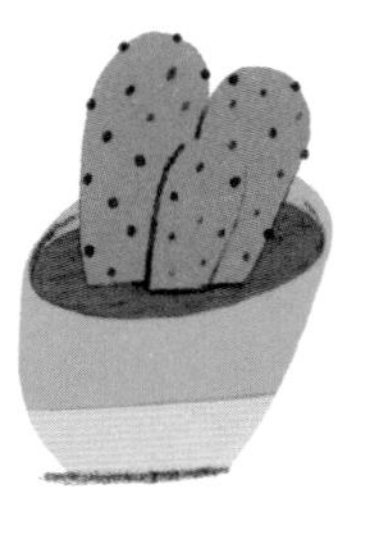

Fertige eine abstrakte Skulptur aus Seife an. Füge unbedingt ein interessantes Loch hinzu! Wenn sie fertig ist, kannst Du sie mit einigen Topfpflanzen als Mini-Skulpturengarten ausstellen.

Du brauchst:

- Ein großes Stück Seife
- Kinderfreundliche Modellierwerkzeuge oder Kinderbesteck

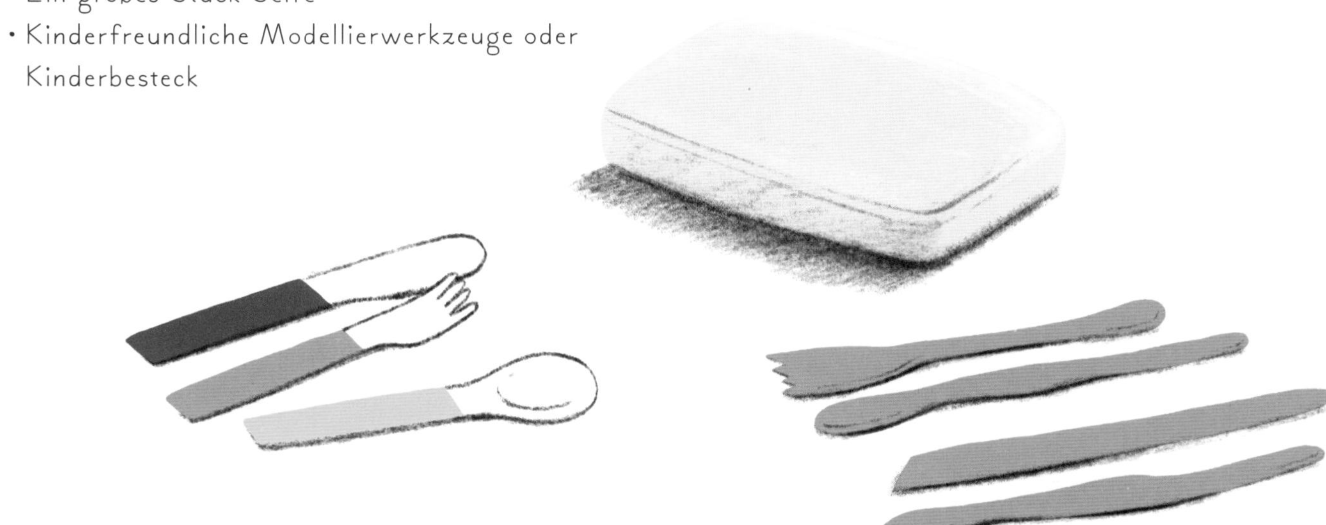

1

Forme aus der Seife ein Oval oder ein Ei. Eine Seite soll flach sein, als Standfläche.

2

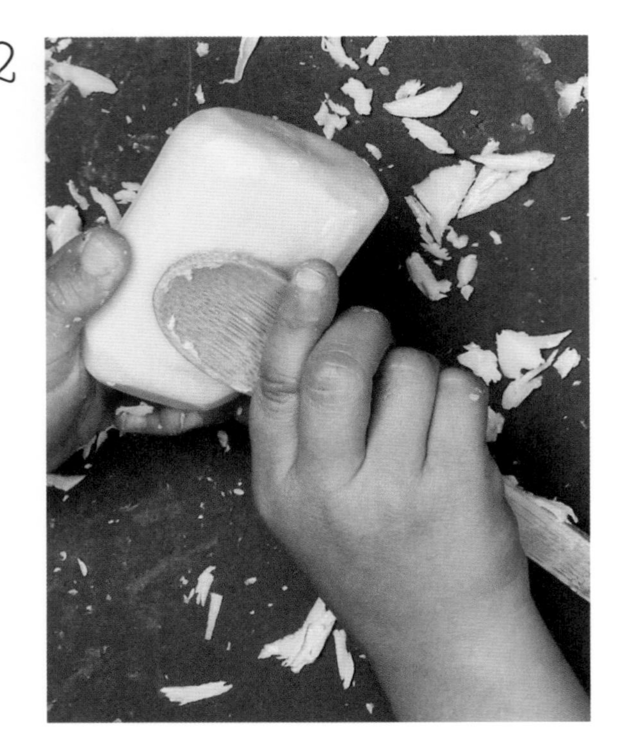

Glätte das Oval möglichst gut, am besten mit den Werkzeugen und Deinen Händen.

3

Arbeite ein Loch in die Mitte der Seife, wie einen Tunnel. Du kannst Dein Werkzeug an derselben Stelle halten und drehen, um die Seife vorsichtig zu durchbohren.

4

Entferne scharfe Kanten mit den Händen und blase die restlichen Flocken beiseite.

5

Schau Dir Deine Seifenskulptur mit etwas Abstand an. Lagere Deine Skulptur an einem trockenen Ort - oder wasch Dir damit die Hände.

Top-Tipp! Arbeite sehr vorsichtig, um die Seife nicht zu zerbrechen.

Was noch?

Barbara Hepworth ließ sich auch von den »kykladischen« Skulpturen aus dem antiken Griechenland inspirieren. Das sind vereinfachte Skulpturen von menschlichen Formen. Du könntest die gleiche Seifenschnitztechnik wie bei Deiner abstrakten Skulptur anwenden, aber diesmal ein stilisiertes Gesicht darstellen.

Drip Paintings

Jackson Pollock

schau an!

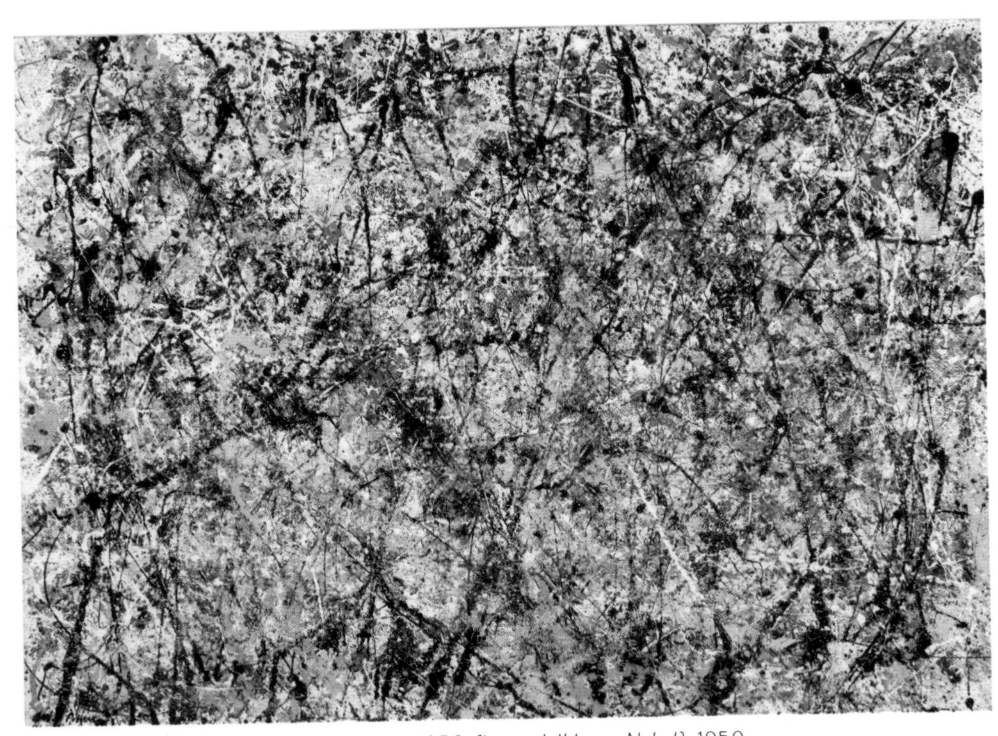

Jackson Pollock, *Lavender Mist Number 1, 1950 (Lavendelblauer Nebel)*, 1950

Pollock legte seine riesigen Leinwände auf den Boden und tropfte Farbe darauf. Er bewegte sich dabei schnell, die Technik nannte er »Action Painting«, Aktionsmalerei. Er ließ sich von den Navajo-Sandmalern inspirieren, die bei religiösen Zeremonien farbigen Sand auf den Boden warfen.

überleg mal!

Abstrakte Kunst klingt kompliziert, aber Du wirst überrascht sein, wie viel Du aus einem solchen Bild »herauslesen« kannst. Falsche Antworten gibt es dabei nicht!

- Erkennst Du etwas auf dem Bild? Ein Gesicht? Eine Blume? Die Sonne?
- Wie wirkt das Bild auf Dich? Ruhig? Furchterregend? Ärgerlich? Traurig?
- Welches Gefühl vermitteln die Farben?

probier's aus!

Entdecke den abstrakten Künstler bzw. die abstrakte Künstlerin in Dir und probiere die Drip-Painting-Technik aus.

Du brauchst:

- Ein großes weißes Blatt Papier
- Steine oder Klebeband
- Becher
- Wasser
- Verschiedene gut auswaschbare Farben
- Pinsel

Du brauchst viel Platz (und alte Kleidung, bei der ein paar Farbspritzer nicht schlimm sind). Male am besten im Freien, wenn es möglich ist.

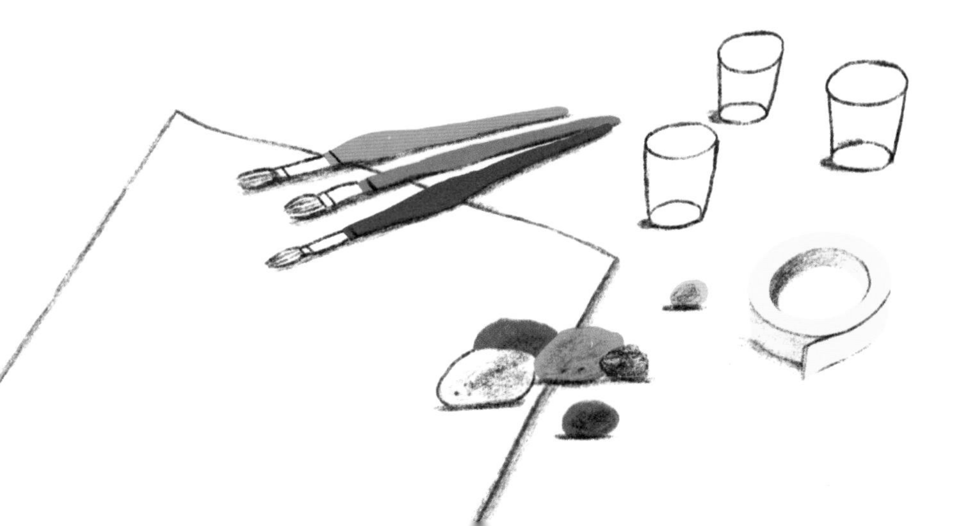

Gib die Farbe mit ein wenig Wasser in einen Becher - sie sollte so dick wie ein Eierkuchenteig sein. Leg das Papier aus und benutze Kreppband oder Steine, um es zu fixieren.

Nimm den Becher mit der dunkelsten Farbe und kippe ihn vorsichtig über das Papier, sodass er zu tropfen beginnt. Mache verschiedene Muster wie Linien, Kreise und Kurven.

Prüfe, ob die Farbe nass genug ist, indem Du einen Pinsel in die Farbe tauchst. Sie sollte dicke Tropfen bilden.

Wähle nun eine andere Farbe. Du kannst die Farbe entweder direkt aus dem Becher tropfen oder einen Pinsel benutzen.

5

Füge so viele Farben hinzu, wie Du möchtest. Trage die Farben schichtweise auf, bis Du das Gefühl hast, dass es fertig ist - es kann schwierig sein, zu wissen, wann man aufhören muss!

6

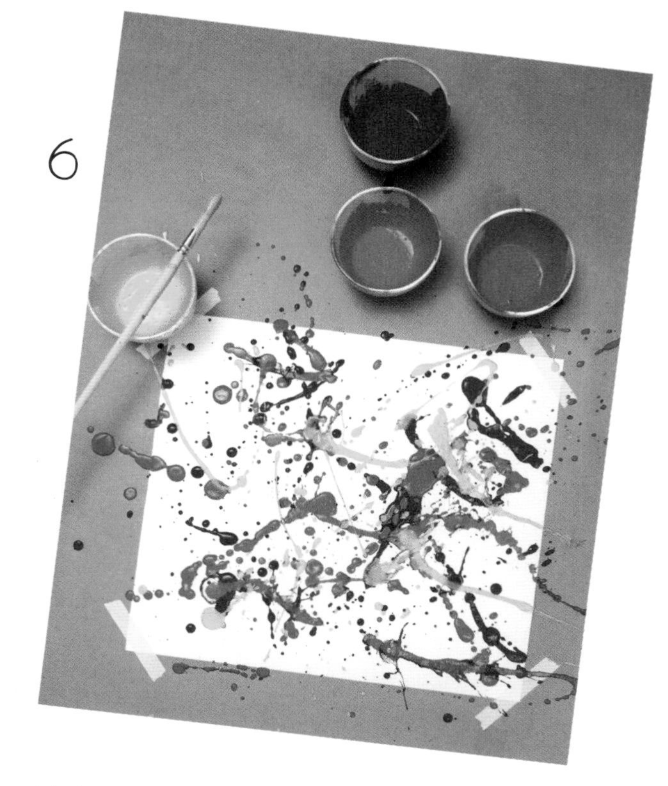

Es kann bis zu zwei Tage dauern, bis die Farbe getrocknet ist. Wenn sie trocken ist, kannst Du das Klebeband entfernen.

Top-Tipp! Wenn möglich, arbeite auf dem Boden. Ich klebe gerne ein Wachstuch auf den Küchenboden oder arbeite bei schönem Wetter draußen auf alten Zeitungen!

Was noch?

Probiere eine ähnliche Technik aus, aber mit einem Bleistift - nennen wir es »Action Drawing«. Klebe etwas Papier auf einen harten Boden und lass den Bleistift im Rhythmus Deines Herzens tanzen! Du kannst auch Musik anmachen, um Deinen Groove zu finden.

Surrealistische Geschöpfe

Wifredo Lam

schau an!

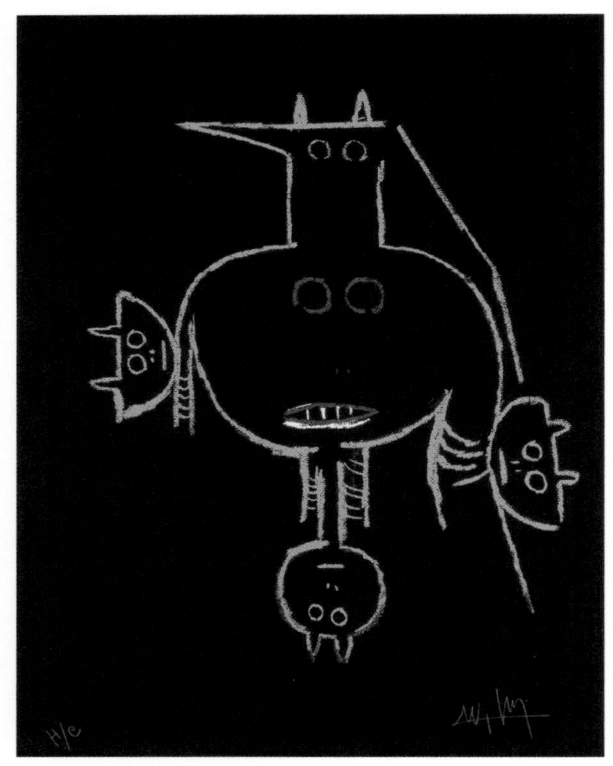

Wifredo Lam, *Untitled*, 1974

Auf dieser Lithografie stellt der kubanische Künstler Wifredo Lam eine Kreatur mit mehreren Gesichtern dar. Jedes dieser maskenartigen Gesichter repräsentiert einen Geist, der in Ritualen in Westafrika und Haiti verehrt wird. Lams Arbeit verbindet sein Interesse an afro-karibischen spirituellen Traditionen und Surrealismus.

Überleg mal!

Wifredo Lam war von der Natur und der Idee der Veränderung fasziniert.

- Wie viele kleine Geister kannst Du auf dem Druck sehen? Sind sie gruselig oder freundlich?
- Aus wie vielen Köpfen, Hälsen und Körpern besteht diese Kreatur?
- Erinnert Dich dieses Geschöpf an etwas, das Du in einer Geschichte oder einem Traum gesehen hast?
- Wenn Du kein Mensch wärst, welches Tier oder welche Pflanze wärst Du?

probier's aus!

Drucke Dein eigenes surrealistisches Geschöpf, inspiriert von Wifredo Lam.

Du brauchst:

- Ein Blatt Moosgummi
- Einen spitzen Bleistift
- Schwarze, auswaschbare Farbe
- Teller
- Rollpinsel
- Papier, mehrere Blätter
- Roten Fineliner oder Buntstift

Stell Dir eine Kreatur mit vielen Köpfen vor. Zeichne Deine Kreatur mit einem spitzen Bleistift auf den Moosgummi.

Gieß schwarze Farbe auf einen Teller. Benutze den Rollpinsel, um Deine Kreatur mit schwarzer Farbe zu bedecken. Versuche, die Farbe gleichmäßig in einer dicken Schicht aufzutragen. Je dicker die Farbe ist, desto dunkler wird der Abdruck.

Übertrage Dein Motiv, indem Du den Schaumstoffbogen auf ein weißes Blatt Papier legst. Drücke den Moosgummi bis zu zehn Sekunden lang auf das Papier.

Ziehe den Moosgummi vorsichtig ab und lass das Papier für ein paar Minuten trocknen.

5

Mit dem roten Stift kannst Du Details wie Augen, Nase und Mund in die Figur zeichnen.

6

Signiere und nummeriere Deinen Druck. Dann kannst Du einen weiteren herstellen.

TOP-TIPP! Nach dem Abdruck kannst Du den Moosgummi auf ein anderes Blatt Papier drücken, ohne erneut Farbe aufzutragen, um einen zweiten Abdruck zu erstellen.

Was noch?

Du kannst auch mit Stempeln einen Abdruck machen. Schneide verschiedene Formen aus Schaumstoffplatten aus und klebe sie auf ein Stück Pappe, um Deine eigenen Stempel herzustellen. Tauche sie in Farbe und drücke sie auf Papier, um Abdrücke zu machen. Fang mit einfachen Formen an.

Bunte Collagen

Henri Matisse

schau an!

Henri Matisse, *Die Trauer des Königs*, 1952

Henri Matisse war für seine bunten Ölgemälde bekannt, aber er erfand auch die Technik des »Malens mit der Schere«. Er schnitt Stücke aus buntem Papier aus, die dann auf große Papierbögen geklebt wurden. Als Matisse in den 1940er-Jahren an den Rollstuhl gefesselt wurde, war es für ihn schwierig, Farben und Pinsel zu benutzen, aber er konnte immer noch Kunst schaffen, indem er »mit der Schere malte«. Diese Scherenschnitte sind ein Höhepunkt in seiner Karriere.

überleg mal!

Kannst Du irgendwelche Figuren auf diesem Bild erkennen? Wer könnten sie sein? Hier zeigt sich Matisse neben einem Musiker und einer Frau, um die beruhigende Kraft der Musik zu feiern.

- Was tun diese Figuren wohl?
- Wer sieht traurig aus und wer glücklich?
- Wie viele Farben hat Matisse verwendet?
- Welches Detail gefällt Dir am besten?

probier's aus!

Schaffe Deine eigene Collage in bunten Farben und spannenden Formen.

Du brauchst:

- Verschiedenfarbiges Papier
- Schere
- Kleber

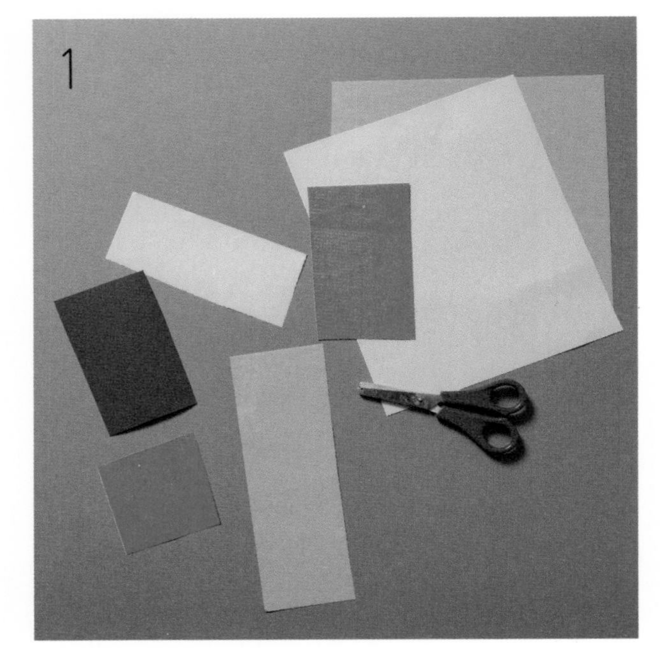

Nimm vier bunte Blätter Papier und schneide aus jedem eine einfache geometrische Form aus. Dreiecke, Quadrate und Rechtecke eignen sich gut.

Wähle ein andersfarbiges Blatt Papier für Deinen Hintergrund. Klebe die geometrischen Formen auf.

Nimm vier weitere Farbtöne. Schneide vier große natürliche Formen aus, wie Blätter, Pflanzen, Flecken oder Kleckse.

Versuche, Deine Formen unterschiedlich auf Deinem Hintergrundpapier zu platzieren. Wenn Du mit Deiner Komposition zufrieden bist, kannst Du sie festkleben.

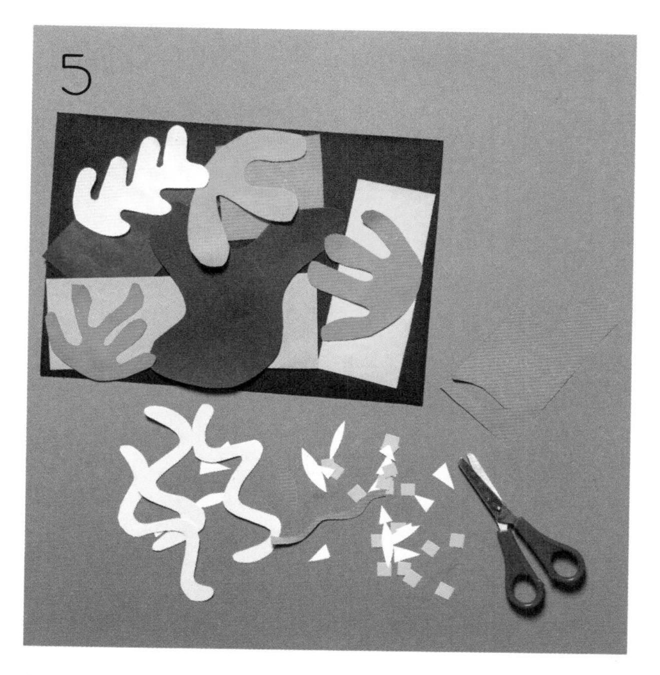

Schneide aus den Resten des farbigen Papiers kleinere Elemente aus. Probiere Formen wie Zick-zack, Tropfen, Punkte und kleine Dreiecke aus.

Klebe die witzigen Dekorationsstücke auf Dein ausgeschnittenes Kunstwerk.

Top-Tipp! Wähle eine dunkle Farbe für den Hintergrund und verwende helle Farben für die abschließenden dekorativen Elemente.

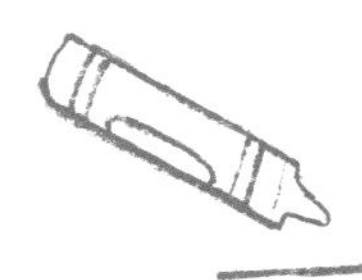

Was noch?

Fertige eine weitere Collage aus Teilen von Zeitschriften und Zeitungen an anstatt aus normalem Papier. Schneide zwischen 10 und 20 Elemente aus gedruckten Bildern aus - Körperteile und Gesichtszüge eignen sich besonders gut! Klebe sie anschließend auf.

Einfarbige Strukturen

Louise Nevelson

schau an!

Louise Nevelson, *Total Totality II*, 1959-68

Die amerikanische Künstlerin Louise Nevelson fertigte ihre abstrakten Skulpturen aus Teilen an, die sie auf den Straßen von New York fand. Nach dem Zusammensetzen machte sie die Skulptur zu einem Ganzen, indem sie alle mit derselben Farbe bemalte.

überleg mal!

Hast Du gewusst, dass man aus den Dingen, die man im Laufe des Tages sammelt, Kunst machen kann? Wenn gesammelte Kleinigkeiten zu einem Kunstwerk kombiniert werden, nennt man das »Assemblage«.

- Was sehen wir hier? Ein Gemälde? Eine Skulptur? Oder von beidem etwas?
- Wie viele Elemente erkennst Du? Sieht das für Dich auch aus wie das Innenleben einer Schublade?
- Erkennst Du Formen oder Objekte?
- Sind sie ordentlich organisiert oder zusammengewürfelt?

probier's aus!

Fertige ein einfaches Assemblage-Projekt aus Karton an. Wenn Du magst, kannst Du mehrere in verschiedenen Farben basteln! Wenn Du Lust hast, kannst Du auch kleine Objekte hinzufügen.

Du brauchst:

- Karton (möglichst viele verschiedene Strukturen: Kästchen, Eierkartons, Verpackung von Gemüse etc.)
- Schere
- Kleber
- Auswaschbare Farbe
- Pinsel
- 2 kleine Schälchen

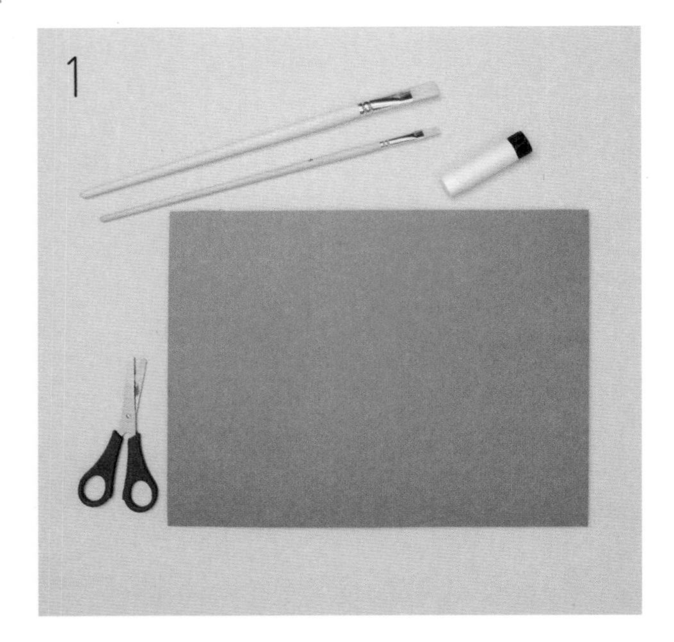

Schneide ein großes Rechteck aus Karton zurecht - das ist Deine Arbeitsfläche.

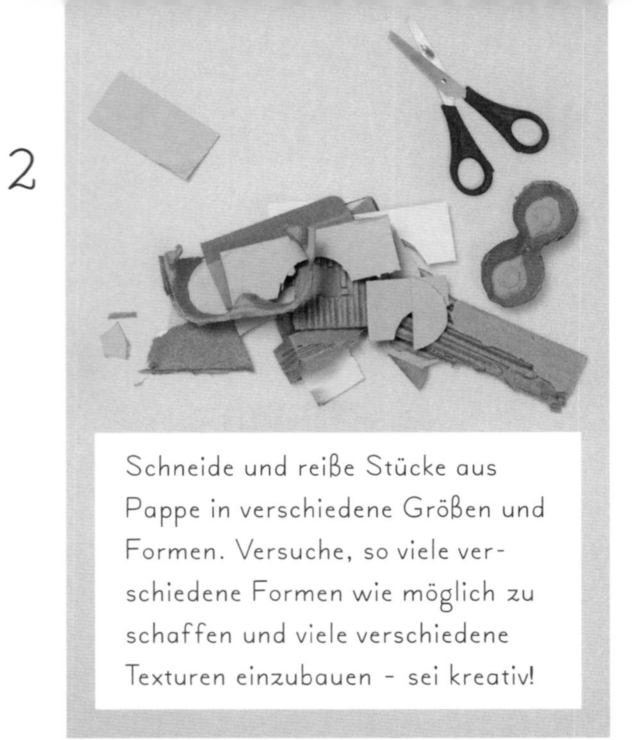

Schneide und reiße Stücke aus Pappe in verschiedene Größen und Formen. Versuche, so viele verschiedene Formen wie möglich zu schaffen und viele verschiedene Texturen einzubauen - sei kreativ!

Lege die kleineren Teile des Kartons auf Deine Kartonfläche. Verschiebe sie so, dass Du eine schöne Komposition erhältst.

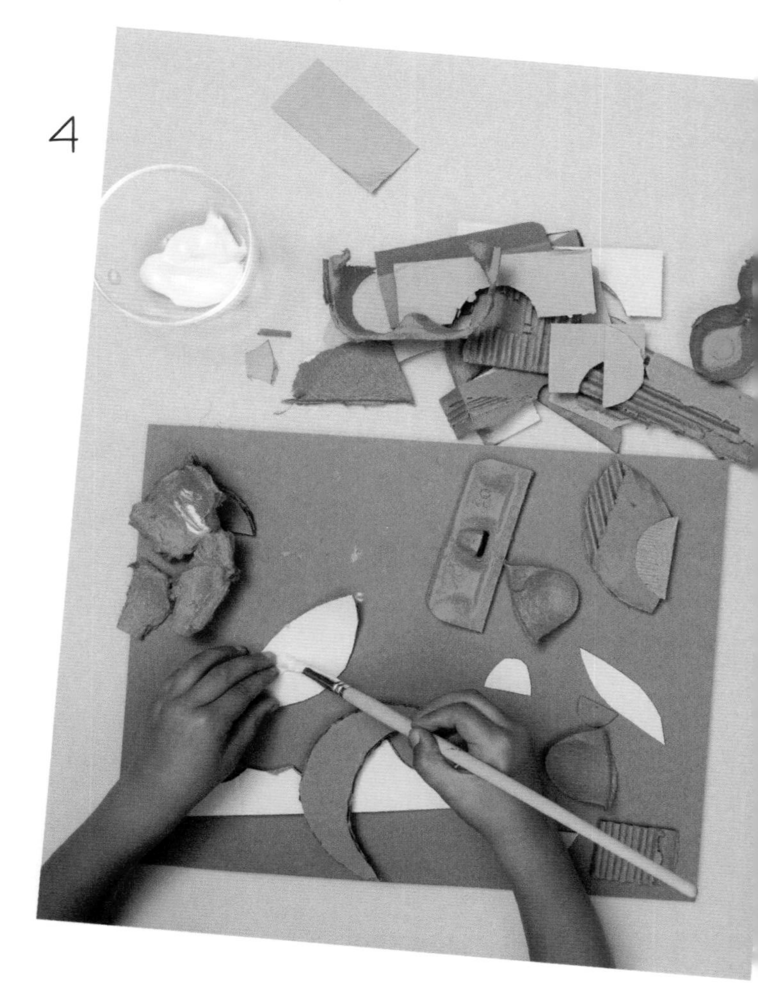

Klebe alle Pappstücke mit Klebstoff auf die Kartonoberfläche.

5

Wenn der Kleber trocken ist, male das Kunstwerk in Deiner Lieblingsfarbe an.

6

Die gesamte Oberfläche muss mit Farbe bedeckt sein, damit sie optimal zur Geltung kommt. Dein einfarbiges Werk ist fertig!

Top-Tipp! Wenn Du Deine Pappfiguren herstellst, solltest Du die oberste Schicht der Pappe abreißen, damit der gewellte Teil darunter zum Vorschein kommt.

Was noch?

Hat es Dir Spaß gemacht, Teile aus Pappe zusammenzubauen? Dann wirst Du das Zusammensetzen von Kleinkram lieben. Zu den Lieblingsobjekten von Louise Nevelson gehörten Holzreste und Abfall von der Straße. Was könnte Dir gefallen? Wir lieben Puzzleteile, Flaschenverschlüsse, Korken, Essstäbchen und Schlüssel! Es ist genau die gleiche Technik (Gegenstände auf Karton kleben), nur mit anderen Materialien.

Tropischer Minigarten

Hélio Oiticica

schau an!

Hélio Oiticica, *Tropicália*, 1966-67

In dieser Installation von Hélio Oiticica ist der Boden mit Sand bedeckt und wird von einem Weg aus tropischen Pflanzen flankiert. Es gibt Gedichte auf Holztafeln und Strukturen in leuchtenden Farben.

überleg mal!

Wärst Du gern in *Tropicália* unterwegs? Hélio Oiticica wollte die Besucherinnen und Besucher aktiv in die Kunst einbeziehen.

- Was würdest Du als Erstes tun, wenn Du durch dieses Kunstwerk gehen könntest? Die Gedichte lesen?
- Woraus besteht ein Weg normalerweise?
- Wie viele tropische Pflanzen (oder Tiere) kennst Du?
- Kennst Du ein Gedicht oder ein paar Zeilen aus einem Buch auswendig?

probier's aus!

Stelle anhand der Inspriation von Hélio Oiticica Deine eigene Installation her.

Du brauchst:

- Ein Tablett
- Sand
- Schotter oder Kieselsteine
- Mini-Zimmerpflanzen
- Buntes Tonpapier
- Stifte
- Klebeband

1

Fülle Dein Tablett mit Sand. Füge einen gewundenen Pfad aus Kieselsteinen oder Schotter hinzu.

2

Stelle die kleinen Zimmerpflanzen entlang des Weges auf.

3

Bastle einige »Bauwerke«, indem Du buntes Tonpapier zu Türmen faltest. Benutze Klebeband, um sie bei Bedarf zu befestigen. Du kannst sie vorher anmalen, wenn Du möchtest!

4

Schreibe ein Gedicht oder ein paar Zeilen aus Deinem Lieblingsbuch darauf.

5

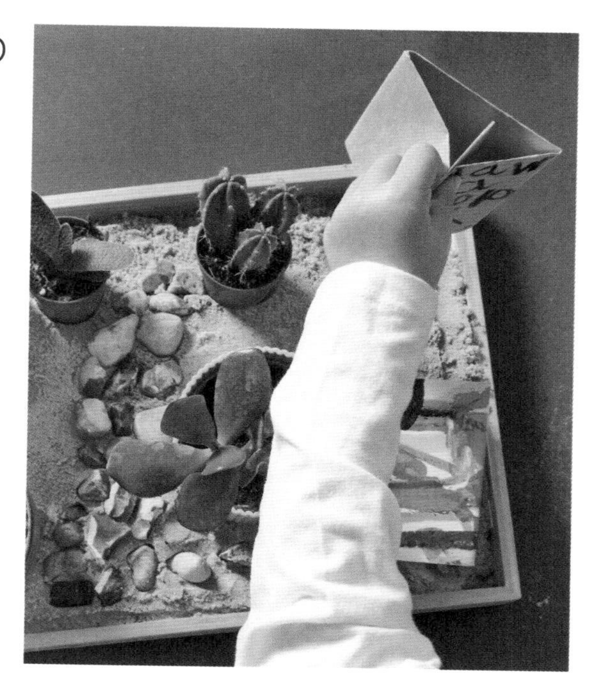

Finde für Deine Bauwerke einen guten Platz auf dem Tablett. Wenn Du sie in den Sand drückst, stehen sie von selbst.

6

Betrachte Deine Installation. Du kannst Deine Pflanzen und Bauwerke neu anordnen, bis Du mit Deiner Komposition zufrieden bist.

Top-Tipp! Bitte sei vorsichtig, denn Kakteen sind stachelig! Wenn Du möchtest, kannst Du einen kleinen Teich anlegen, indem Du eine Schale mit Wasser hinzufügst.

Was noch?

Wenn Du Dich von Hélio Oiticica inspirieren lässt, baue eine Installation, die die Menschen zum Mitmachen anregt. Schließe Dich mit einigen Freunden zusammen, um eine lebensgroße Tropicália in einem Garten, einem Park oder auf einem Spielplatz zu errichten. Jede/r kann Pflanzen, Kissen und Gedichte mitbringen, die Ihr gemeinsam lest.

ZEITGENÖSSISCHE KUNST?

KANN ICH!

Seit den 1960er-Jahren sind große Projekte bei den Kunstschaffenden sehr beliebt. Street Art, Installationen, Land Art und Performances sind zu beliebten Formen des künstlerischen Ausdrucks geworden. Dieses Kapitel ermutigt die Kinder, ruhig auch große Ideen künstlerisch umzusetzen.

In den letzten 50 Jahren ist die Kunstwelt vielfältiger geworden. Inspiriert von den kreativsten Persönlichkeiten werden die Kinder Kunst als eine Möglichkeit verstehen, ihre Meinung, ihre Ideen und ihren Stil zum Ausdruck zu bringen. Zeitgenössische Kunst befasst sich mit wichtigen Themen wie Stereotypen der Ethnien, Abfall, Ökologie, Vielfalt und Identität. Obwohl die Themen ernst sein können, ist die Darstellung oft spielerisch, lustig und fesselnd. Die Betrachtung ihrer Werke ist eine gute Möglichkeit, das visuelle Potenzial der Kunst sowie ihre politische Kraft zu erfassen.

Street-Art-Musik

Jean-Michel Basquiat

schau an!

Jean-Michel Basquiat, *Trumpet*, 1984

Jean-Michel Basquiat hat bei seinem Porträt eines Jazz-Musikers mit leuchtenden Farben gearbeitet. Basquiats Kunst bezieht sich häufig auf die Geschichte der Afroamerikaner, der Street Art und der Popkultur.

überleg mal!

Basquiat begann seine Karriere als Graffiti-Künstler in den 1980er-Jahren in New York. Ist das an seinen Bildern zu erkennen?

- Was meinst Du, wie laut der Musiker seine Trompete spielt?
- Findest Du weitere Accessoires? Zum Beispiel die Krone mit den drei Zacken, sein Markenzeichen?
- Kannst Du die Worte auf dem Gemälde lesen? Es sieht aus, als wären sie durchgestrichen. Welche Wörter würdest Du verwenden?

probier's aus!

Gestalte Dein eigenes ausdrucksstarkes Porträt, inspiriert von Jean-Michel Basquiats Trompeter.

Du brauchst:

- Wachsmalstifte oder Pastellkreiden
- Weißes Papier in A3
- Schwarzes Papier in A4
- Kleine Zettel
- Schere
- Kleber
- Schwarzen Bleistift

1

Male mit Deinen Stiften oder Pastell-kreiden fünf verschiedenfarbige Bereiche auf ein weißes Blatt Papier.

2

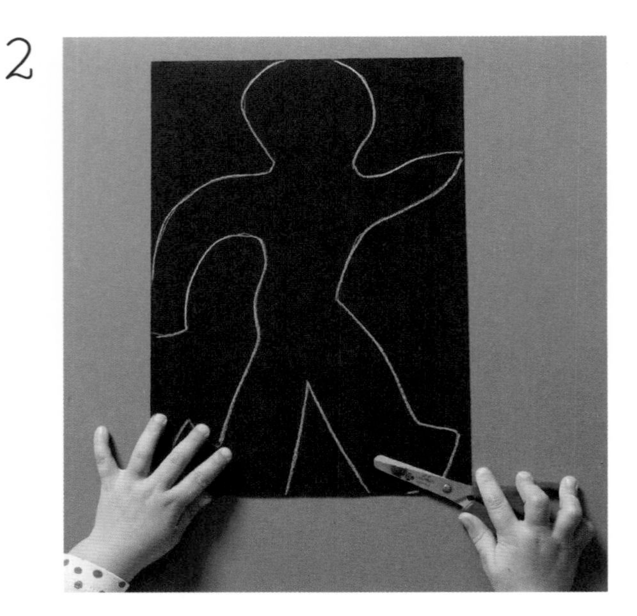

Zeichne als Nächstes die Umrisse einer Person auf ein schwarzes Blatt Papier. Schneide die Figur aus und bewahre die Papierreste auf.

3

Verwende einen weißen Farbstift, um Details und Gesichtszüge zu Deinem Porträt hinzuzufügen. Zeichne dann das Skelett wie ein Röntgenbild. Füge mit einem roten Stift ein Herz hinzu.

4

Klebe Deine Figur auf das bunt bemalte weiße Papier.

Was für einen Menschen porträtierst Du? Überlege Dir ein paar Wörter, die diese Person benutzen könnte, z. B. könnte ein Musiker Wörter wie »Rhythmus« oder »Klang« verwenden. Schreibe sie mit einem schwarzen Stift auf Papierschnipsel.

Klebe Deine Worte auf Dein fertiges Porträt. Streiche sie durch, wenn Du magst, genau wie Basquiat. Jetzt kannst Du Dein fertiges Street-Art-Porträt an einer Wand aufhängen.

TOP-TIPP! Wähle für den Hintergrund leuchtende Farben wie Rot, Orange, Rosa oder Gelb. So kommen das Porträt und die Schrift besser zur Geltung.

Was noch?

Eine weitere Form der Street Art ist, die Fußwege mit Kreide zu bemalen. Nimm drei Jumbo-Kreiden und geh nach draußen. Bitte Deine Freunde, mitzumachen und ihre Lieblingstiere zu zeichnen!

Recycelte Monster

Tony Cragg

schau an!

Tony Cragg, *New Figuration*, 1985

Für dieses Kunstwerk benutzte Tony Cragg Plastikobjekte, die am Ufer eines Flusses angeschwemmt worden waren. Er spielt mit Formen, um zu sehen, wie sie unsere Ideen und unsere Gefühle beeinflussen.

Überleg mal!

Dieses Werk ist ein Arrangement an einer Wand – die Füße der Figur berühren den Boden. Woraus mag die Skulptur bestehen? Was an ihr ist ungewöhnlich?

- Kannst Du ihre Körperteile benennen?
- Erkennst Du einige Gegenstände, die zur Figur gehören?
- Was macht die Person? Tanzt sie oder wird sie größer?

probier's aus!

Stelle aus Alltagsobjekten ein eigenes Haustiermonster her.

Du brauchst:

- Ca. 50 bunte Spielzeuge und Alltagsgegenstände - entscheide Dich für fünf Farben und suche in jeder Farbe 10 Gegenstände.
- Einen flachen Fußboden und etwa 1 Quadratmeter Platz, z. B. eine Ecke im Garten oder im Wohnzimmer.

1

Sammle zunächst 50 kleine Gegenstände und Spielzeuge aus Deiner Wohnung. Wähle einen Raum zum Arbeiten aus – achte darauf, dass Du genug Platz hast, um Dein Kunstwerk fertigzustellen, ohne dass Möbel oder Pflanzen im Weg sind.

2

Sortiere die Gegenstände in Stapel jeder Farbe – ein Stapel für Orange, einer für Rot, ein anderer für Grün usw.

3

Wähle eine Farbe. Verschiebe die Objekte, um den Kopf Deines Monsters zu formen.

4

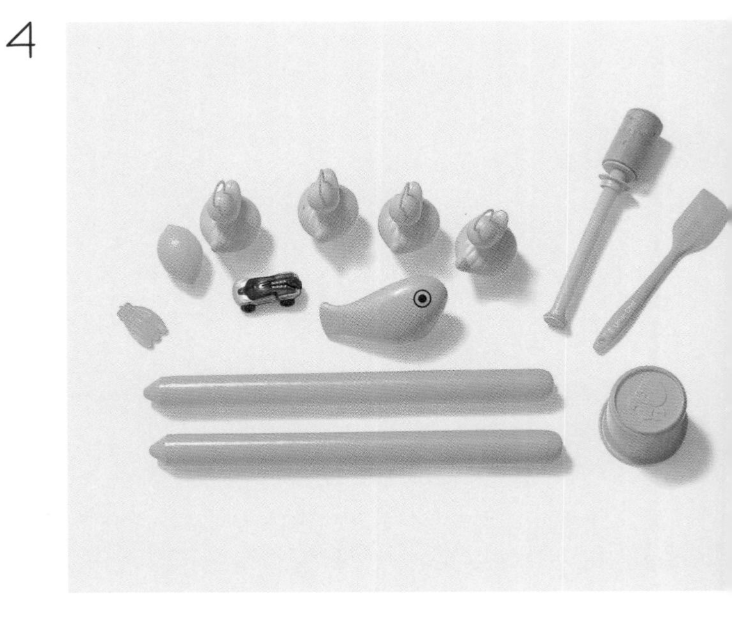

Wähle nun eine Farbe für den Körper des Monsters. Die letzten drei Farben bilden den Schwanz und die beiden Beine.

5

Vielleicht musst Du Dich auf einen Stuhl stellen, um die ganze Komposition zu sehen. Verschiebe die Objekte so lange, bis Du sie alle benutzt hast und Dein Monster fertig ist. Mach ein Foto von Deiner Kreatur!

Top-Tipp! Unterschiedliche Farben für verschiedene Körperteile sorgen dafür, dass Dein Kunstwerk eine maximale visuelle Wirkung hat!

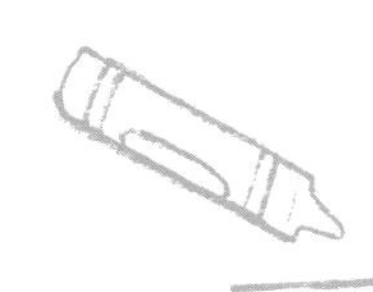

Was noch?

Anstatt Spielzeug auf dem Boden zu arrangieren, kannst Du aus recyceltem Müll ein länger haltbares Kunstwerk herstellen. Sammle zunächst viele kleine Plastikteile - Flaschenverschlüsse, alte Zahnbürsten, Knöpfe oder Teile von kaputtem Plastikspielzeug eignen sich gut dafür. Sortiere sie nach Farben und zeichne dann eine Form auf ein Stück Pappe - am besten sind einfache Formen wie ein Mond, ein Stern oder ein Herz. Ordne nun die Plastikteile innerhalb der Form an. Wenn Du mit dem Design zufrieden bist, klebe sie fest.

Schwimmende Stege

Christo und Jeanne-Claude

schau an!

Christo und Jeanne-Claude, *The Floating Piers*, Iseosee, Italien, 2016

Wir betrachten das Projekt aus der Luft. Hier siehst Du ein Foto einer temporären ortsspezifischen Installation von Christo und Jeanne-Claude, aufgebaut 2016 auf dem Iseosee nahe Brescia, Italien.

überleg mal!

Das Kunstwerk wurde auf dem Wasser installiert: Es ist so groß, dass man sogar darauf laufen kann. Es ist 3 km lang! Wie lange dauert es wohl, ein so großes Kunstwerk herzustellen?

- Siehst Du die Häuser auf der Insel? Und Menschen auf dem Pier? Schau genau hin, sie sind winzig!
- Wo hat der Fotograf wohl gestanden, als er das Bild aufgenommen hat?
- Möchtest Du mal über Wasser gehen?

probier's aus!

Gestalte Deinen eigenen Steg wie Christo und Jeanne-Claude. Stell Dir vor, er schwimmt in Deinem Garten oder in Deinem Wohnzimmer, und lade ein paar Spielzeuge ein, über das Wasser zu laufen!

Du brauchst:

- Kartonreste
- Pappkarton
- Auswaschbare Farben (2 Farben)
- 2 Schälchen
- Pinsel
- Klebeband

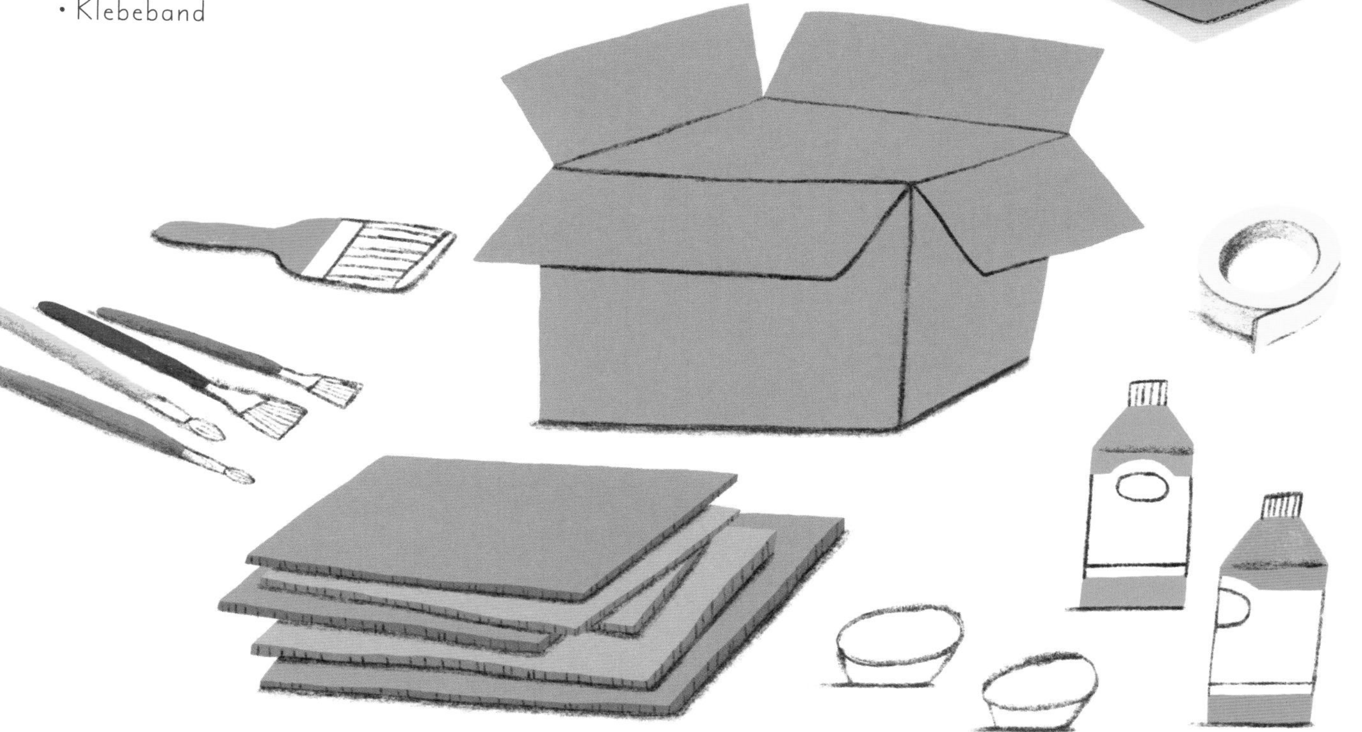

1

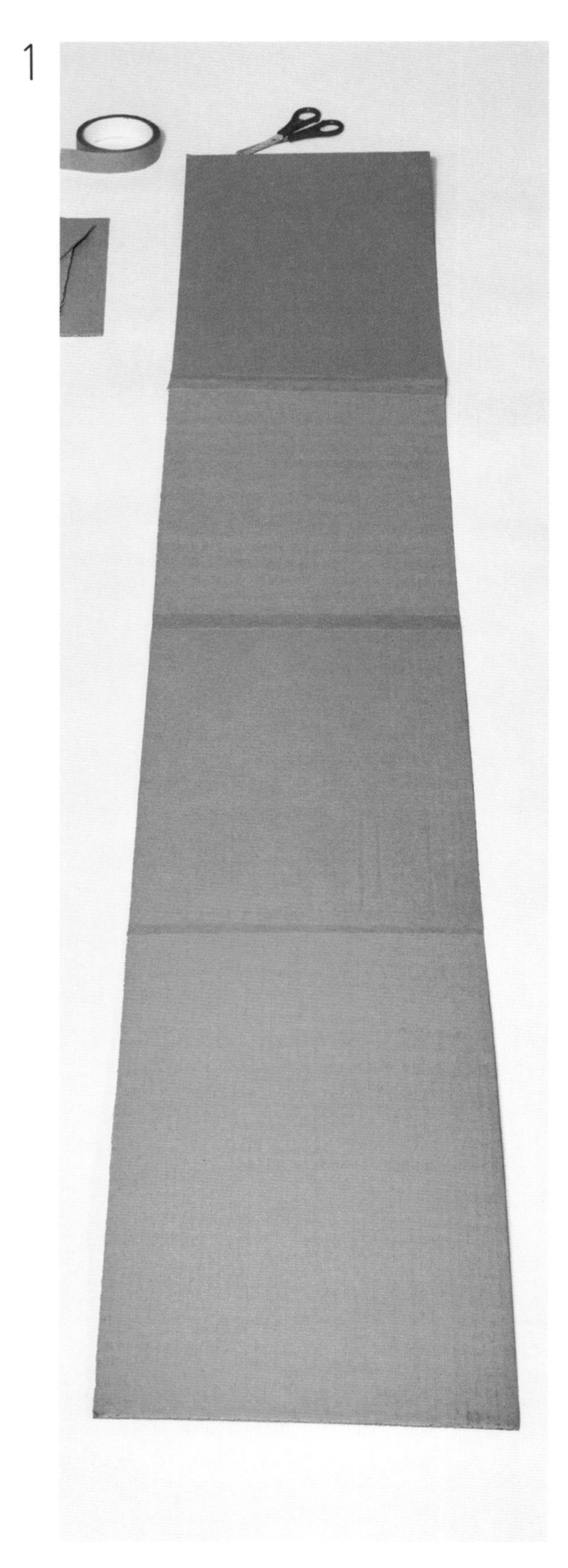

Klebe Kartonteile aneinander, um einen langen Steg herzustellen.

2

Gieße Deine Lieblingsfarbe in eine Schale und male den Steg an.

3

Male nun einen Pappkarton an - er wird die Insel. Am besten verwendest Du eine andere Farbe. Lass Deinen Steg und die Insel trocknen.

4

Lege den Steg so aus, dass er zur Insel führt, lass Dir dann von einem Erwachsenen helfen, Stücke aus dem Steg auszuschneiden, um den Rundweg um die Insel zu basteln.

5

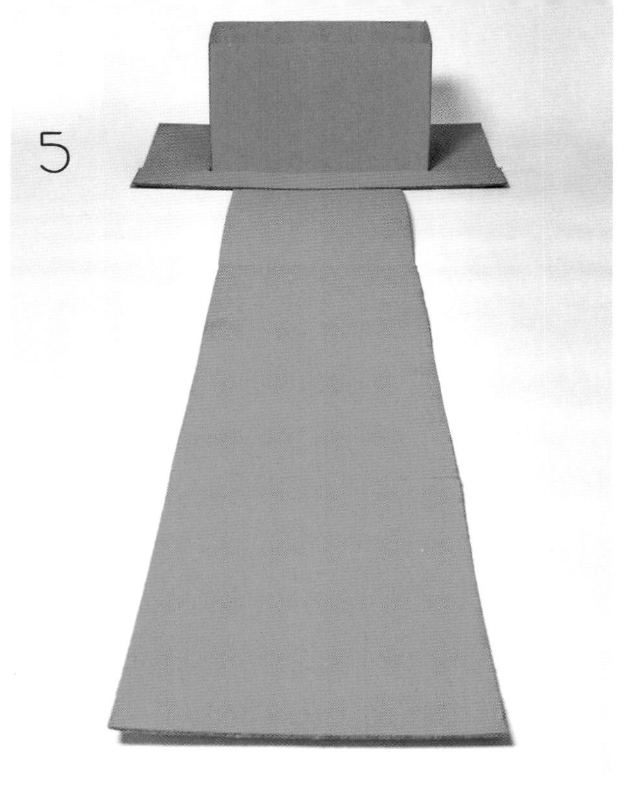

Klebe Steg, Insel und Rundweg mit Klebeband aneinander. Viel Spaß beim Spielen! Lade doch ein paar Spielzeuge zum Spaziergang um die Insel ein!

Top-Tipp! Besonders grelle Farben sind für Steg und Insel am besten geeignet!

Was noch?

Christo und Jeanne-Claude haben einmal eine ganze Brücke in Stoff gehüllt. Die Installation auf der Pont Neuf in Paris zog drei Millionen Besucher an! Such Dir Stoff oder Krepppapier und Klebeband und verpacke damit einen Stuhl, eine Lampe oder ein paar Bücher, um Deine eigene Installation zu schaffen.

Natur-Kunst

Andy Goldsworthy

schau an!

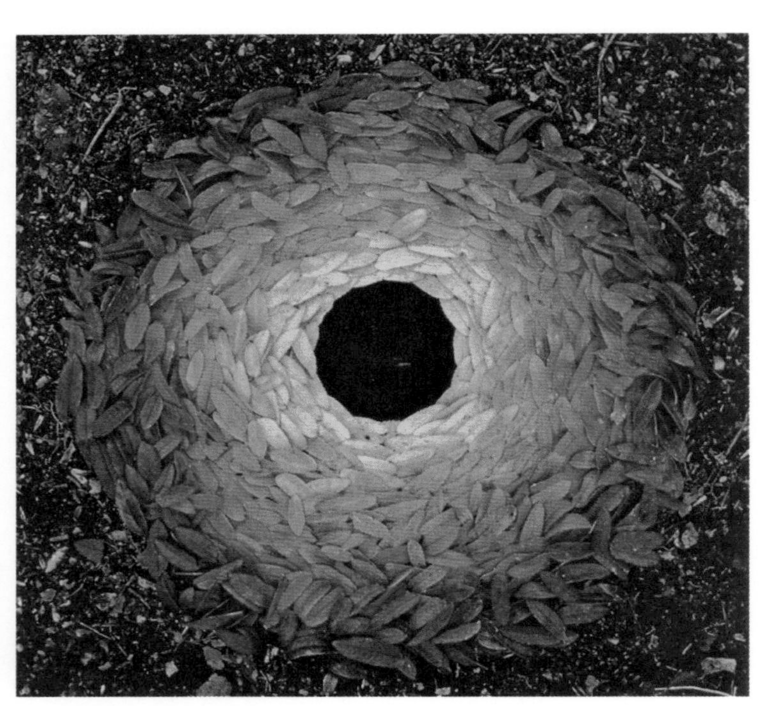

Andy Goldsworthy, *Blätter der Eberesche, ausgelegt um ein Loch*, 1987

Wer braucht schon Farben und Pinsel, wenn man Materialien aus der Natur hat? Zu den Lieblingsmaterialien des Bildhauers Andy Goldsworthy gehören Steine und Blätter. Hier spielt er mit dem Kontrast zwischen bunten Blättern, um eine dramatische Form mit einem schwarzen Loch in der Mitte zu schaffen.

überleg mal!

Goldsworthy verweist mit seiner Kunst auf das Vergehen der Jahreszeiten und den Kreislauf des Lebens. Land Art ist vergänglich, sie wird sich also mit der Zeit verändern und schließlich verschwinden.

- In welcher Jahreszeit hat er wohl das Werk mit den Blättern der Eberesche und dem Loch geschaffen?
- Haben die Blätter alle die gleiche Form und Farbe?
- Was meinst Du, wohin führt das Loch in der Mitte? Woraus besteht es?

probier's aus!

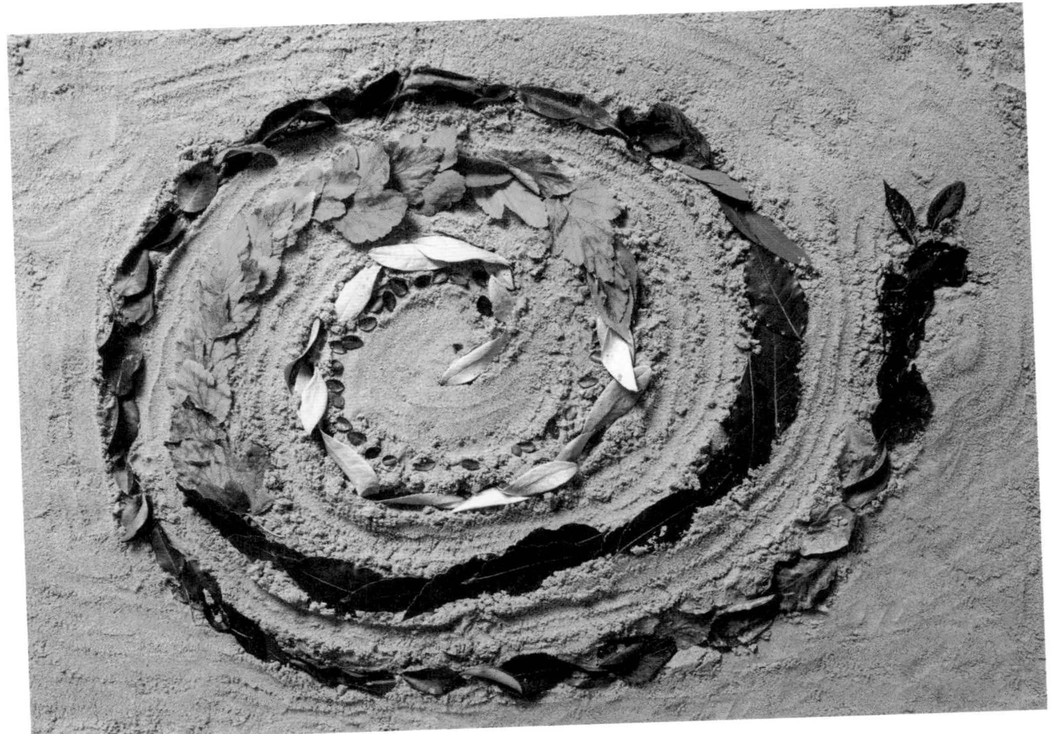

Stelle selbst ein Werk der Land Art her – inspiriert von Andy Goldsworthy.

Du brauchst:

- Blätter (rote, braune und gelbe im Herbst, verschiedene Grüntöne im Frühling)
- Kreide oder Bleistift und ein großes Blatt Papier oder eine Sandfläche, zum Beispiel am Strand

1

Sammle mindestens 50 Blätter, am besten in verschiedenen Farben.

2

Sortiere die Blätter nach ihrer Farbe. Ordne sie von der dunkelsten zur hellsten an.

3

Wenn Du am Strand bist, zeichne die Form einer Spirale mit dem Finger in den Sand. Du kannst sie auch mit Kreide auf die Straße zeichnen oder mit dem Bleistift auf Papier.

4

Ordne die Blätter auf der Spirale an, beginne in der Mitte mit den hellsten und ende mit den dunkelsten.

5

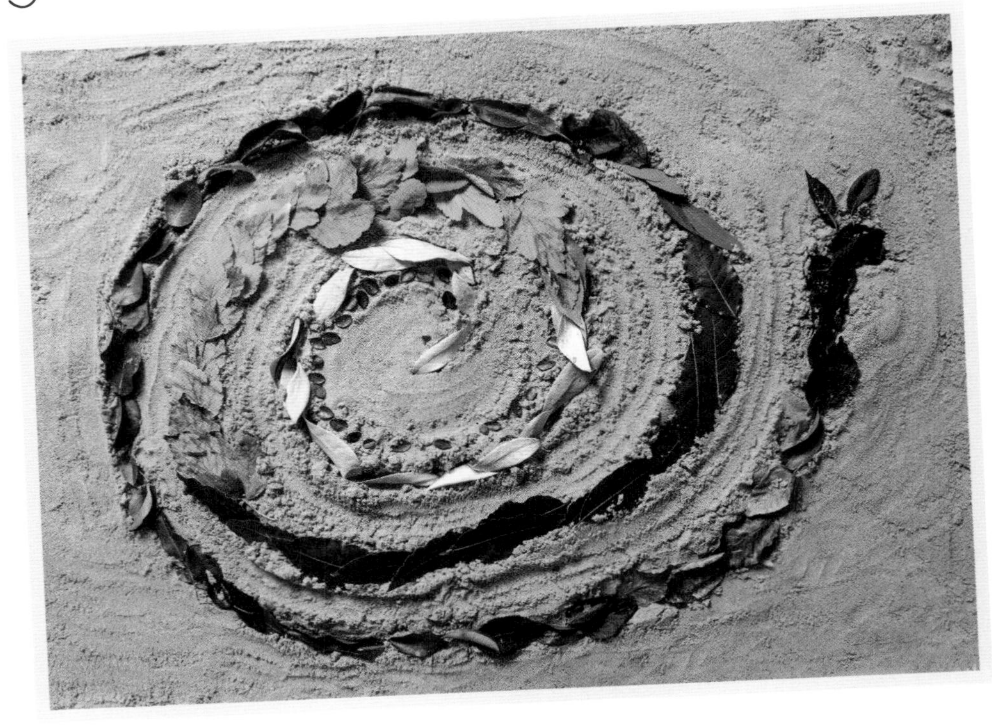

Wenn Du keine Lust auf ein abstraktes Kunstwerk hast, kannst Du Deiner Spirale mit Blättern einen Kopf geben und sie so in eine Schnecke verwandeln. Vergiss nicht, ein Foto zu machen, wenn Du fertig bist - Land Art ist nicht für die Ewigkeit gedacht.

Top-Tipp! Wenn Du keine Blätter finden kannst, eignen sich viele runde Steine in verschiedenen Grautönen.

Was noch?

Andy Goldsworthy stellt wunderschöne Eisskulpturen her. Sammle natürliche Dinge wie Beeren, Blumen und Blätter. Lege sie in eine Plastikdose und bedecke sie mit Wasser. Binde ein Stück Schnur zu einer Schlaufe und drapiere es über den Rand des Behälters, wobei ein Ende im Wasser liegt. Stelle den Behälter über Nacht in den Gefrierschrank und benutze dann die Schnur, um Deine Eisskulptur aufzuhängen.

Weiche Skulpturen

Mrinalini Mukherjee

schau an!

Mrinalini Mukherjee, *Aranyani*, 1996

Eine weiche Skulptur? Mrinalini Mukherjee hat sich für ihre Skulpturen ein ungewöhnliches Material ausgesucht: Statt mit Marmor oder Holz arbeitet sie mit Fasern. Ihre Kunst ist von der Natur inspiriert.

überleg mal!

Was stellt diese Skulptur dar? Die Kunst von Mukherjee ist weder gegenständlich noch abstrakt. Die Betrachter erkennen verschiedene Dinge in ihren Werken. Was kannst Du sehen? Einen schlafenden Vulkan? Ein Tor zur Unterwelt?

- Welche Fertigkeit ist Deiner Meinung nach erforderlich, um ein solches Kunstwerk herzustellen? Schnitzen oder Weben?

- Welche natürlichen Formen und Lebewesen magst Du am liebsten? Nenne drei von ihnen, zum Beispiel Wolken, Muscheln und Spinnen.

- Wie empfindest Du diese Farben? Welche Farben würdest Du verwenden, um die Natur darzustellen?

probier's aus!

Stelle Deinen eigenen gewebten Elefanten her, inspiriert von Mrinalini Mukherjee.

Du brauchst:

- Karton
- Bleistift
- Schere
- Kleber
- Wolle in drei Farben
- Filzplatten

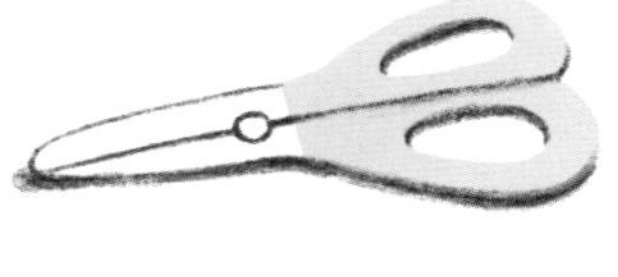

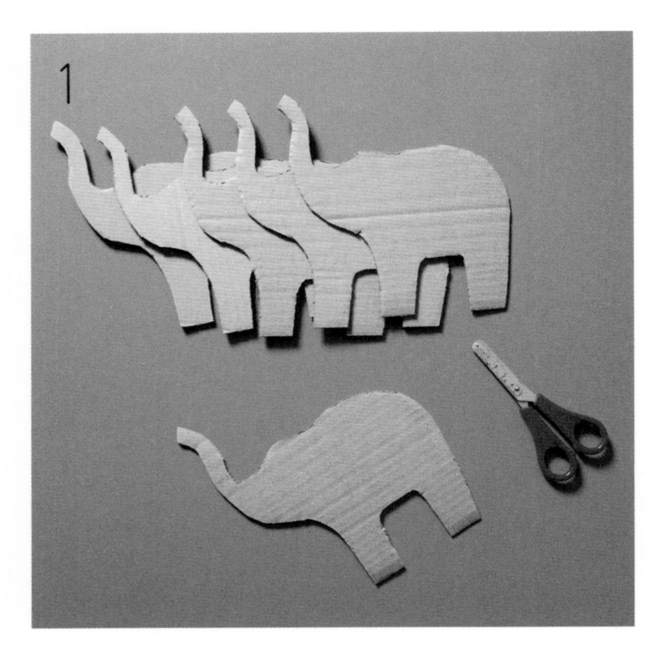

Zeichne sechsmal eine identische Elefantenform (ohne Ohren) auf Karton. Bitte einen Erwachsenen um Hilfe, um die Elefanten vorsichtig auszuschneiden.

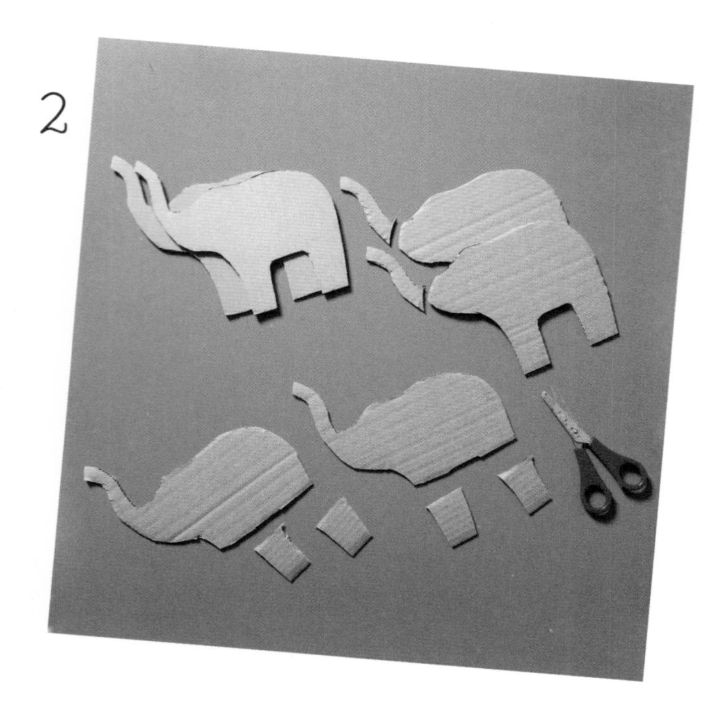

Schneide von zwei Papp-Elefanten die Beine und von zwei anderen die Rüssel ab.

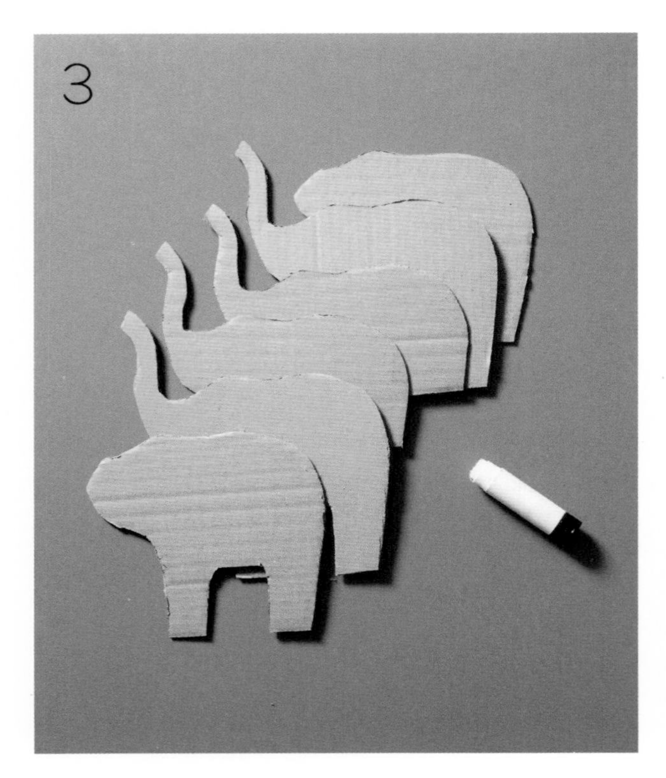

Als Nächstes stapelst Du die sechs Pappfiguren und klebst sie zusammen. Die Reihenfolge ist: Elefant ohne Rüssel, vollständiger Elefant, Elefant ohne Beine, Elefant ohne Beine, vollständiger Elefant, Elefant ohne Rüssel

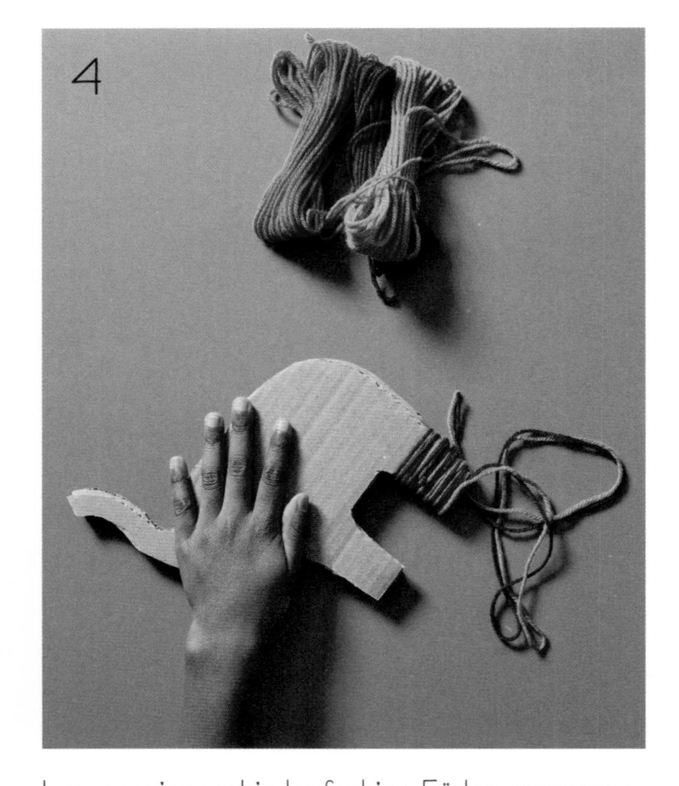

Lege zwei verschiedenfarbige Fäden zusammen und wickle sie einmal um den Körper des Elefanten. Mache einen Knoten, um sie zu befestigen, und wickle das Garn dann immer weiter um den Körper.

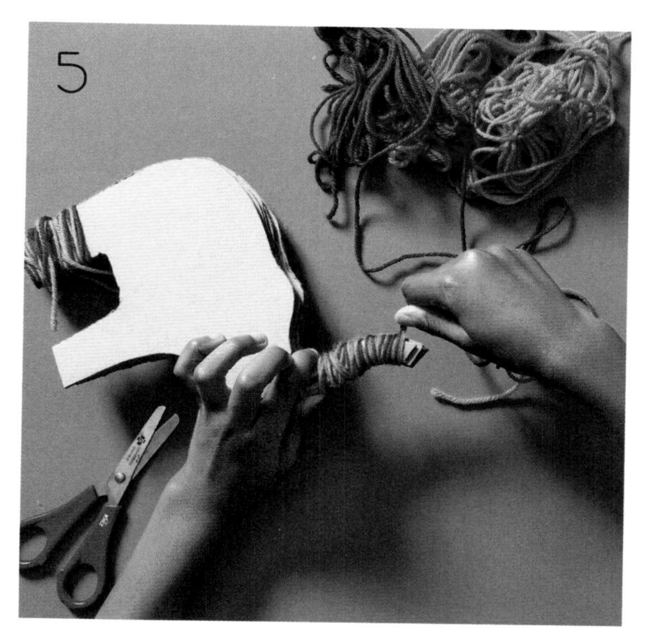

Umwickle Deinen Elefanten so lange mit Garn, bis Du den Karton nicht mehr sehen kannst. Wenn Du fertig bist, mache einen Doppelknoten, um das Garn an der Skulptur zu befestigen.

Schneide schließlich zwei Elefantenohren aus Filz aus. Mach den inneren Teil des Ohrs extra lang, damit Du die Ohren in das Garn stecken kannst, das bereits um den Elefantenkopf gewickelt ist!

Top-Tipp! Bevor Du das Garn um Deinen Elefanten wickelst, überprüfe, ob Deine Kreatur stehen kann. Vielleicht musst Du die Füße etwas kürzen.

Was noch?

Warum nicht aus den Garnresten und ein paar Eisstielen einen Schmetterling basteln? Klebe zunächst die Stiele in Form eines X. Dann wickelst Du Garn von der Mitte nach außen. Mach so weiter, bis die Flügel fertig sind. Zum Schluss biegst Du einen Pfeifenreiniger in der Mitte um. Fädle an beiden Enden Perlen auf den Pfeifenreiniger und drehe ihn, um sie zu befestigen. Biege den Pfeifenreiniger am oberen Ende zu Fühlern.

Schattentheater

Kara Walker

schau an!

Kara Walker, *Keys to the Coop*, 1997

Die afroamerikanische Künstlerin Kara Walker ist für ihre Scherenschnitte und Silhouettenkunst bekannt. Indem sie komplizierte Figuren in einfache Umrisse verwandelt, nimmt sie Bezug auf die Scherenschnittkunst des 18. und 19. Jahrhunderts. Mit ihrer Kunst hinterfragt sie Klischees über verschiedene Hautfarben.

überleg mal!

Welche Geschichte zeigt dieses Kunstwerk Deiner Meinung nach? Wer sind die Figuren? Das Kunstwerk zeigt ein kleines Mädchen und ein Huhn, aber sie sind wohl keine Freunde ...

- Schreit das Mädchen? Kannst Du seine Zunge sehen?
- Was hat das Mädchen an? Was hält es in der Hand?
- Wo ist der Kopf des Huhns?

probier's aus!

Nun bist Du dran: Bastele Deine eigenen Scherenschnitte, um eine Geschichte zu erzählen.

Du brauchst:

- Schwarzes Papier in A4
- Karton in A4
- Kleber
- Bleistift
- Schere
- Klebeband
- Eisstiele
- Lampe (oder helles Sonnenlicht)

Klebe das schwarze Papier auf den Karton.

Überlege, welche Geschichte Du erzählen möchtest, und entscheide Dich für die Figuren. Zeichne deren Umrisse auf.

Schneide die Figuren aus.
Lass Dir eventuell von einem Erwachsenen helfen.

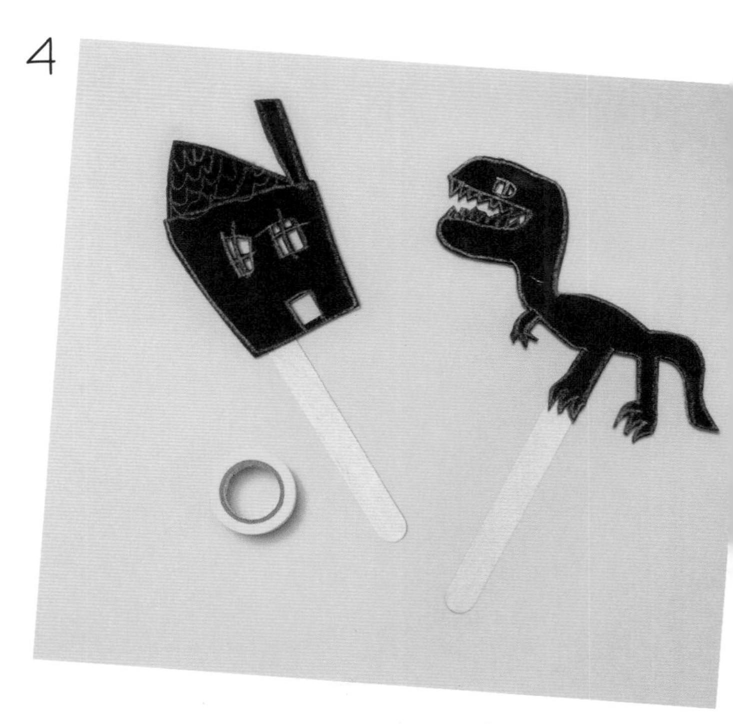

Befestige die Figuren mit Klebeband an den Eisstielen.

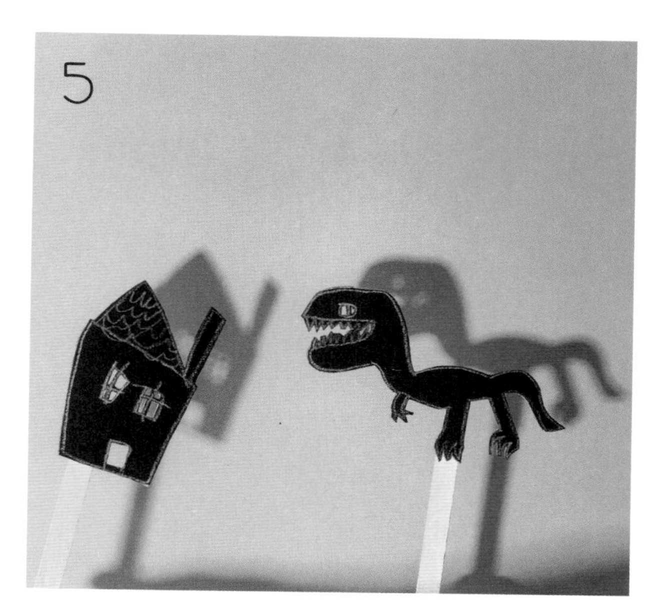

Schalte eine Lampe ein oder gehe hinaus in die Sonne. Du kannst die Figuren am Stiel festhalten und zwischen der Lichtquelle und einer Wand positionieren - der Schatten erscheint dann auf der Wand.

Mit den Schatten kannst Du jetzt Deine Geschichte erzählen. Du hast jetzt ein Schattentheater!

Top-Tipp! Zeichne Deine Figuren im Profil (von der Seite), damit sie leicht zu erkennen sind. Es ist hilfreich, Figuren mit einer gut erkennbaren Form zu wählen.

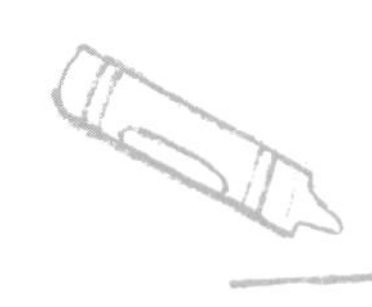

Was noch?

Suche ein Foto von Dir im Profil. Zeichne mit Hilfe des Fotos Deinen eigenen Umriss auf ein Stück schwarzes Papier. Bitte einen Erwachsenen um Hilfe, um den Umriss auszuschneiden, und klebe ihn dann auf ein weißes Blatt Papier. Jetzt kannst Du Dein eigenes Scherenschnittporträt einrahmen!

Alles gepunktet

Yayoi Kusama

schau an!

Yayoi Kusama, *The Obliteration Room*, 2002

Yayoi Kusama spielt seit mehr als fünfzig Jahren mit Punkten. Hier hat die Künstlerin einen weißen Raum mit bunten runden Aufklebern auf allen Oberflächen bedeckt. Sie lud die Besucher ein, sich zu beteiligen, indem sie ebenfalls Sticker anbrachten. Witzig, oder?

überleg mal!

Welches Gefühl hast Du bei dem Chaos in dem Raum und den vielen Farben?

- Es sieht aus, als würde jemand eine Party feiern. Oder vielleicht sind wir im Wunderland? Was meinst Du, wo könnten wir sein?
- Kannst Du die Punkte zählen?
- Wie viele Farben erkennst Du?
- Kannst Du Möbel entdecken?

probier's aus!

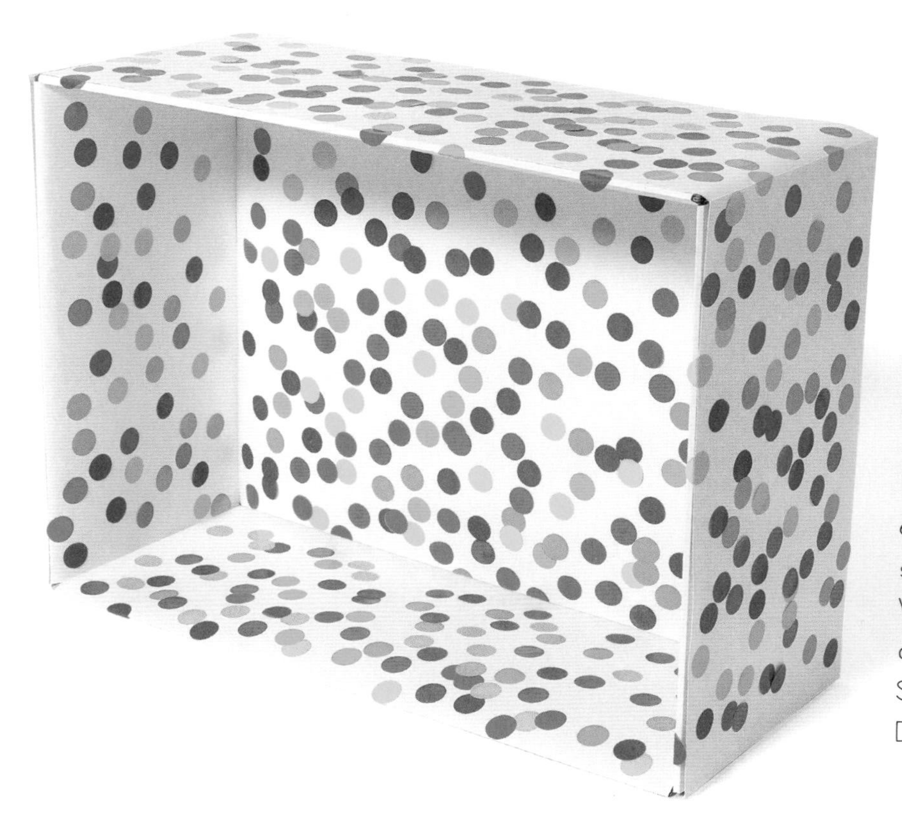

Wenn Du Deine Wände und Möbel im richtigen Leben lieber nicht bekleben willst, kannst Du ganz einfach ein Mini-Zimmer bauen. Gestalte es zunächst mit schlichten weißen Wänden und füge dann so viele Sticker hinzu, wie Du möchtest!

Du brauchst:

- Pappkarton
- Schere
- Papier
- Kleber oder Klebeband
- Viele kleine bunte Punkt-Sticker

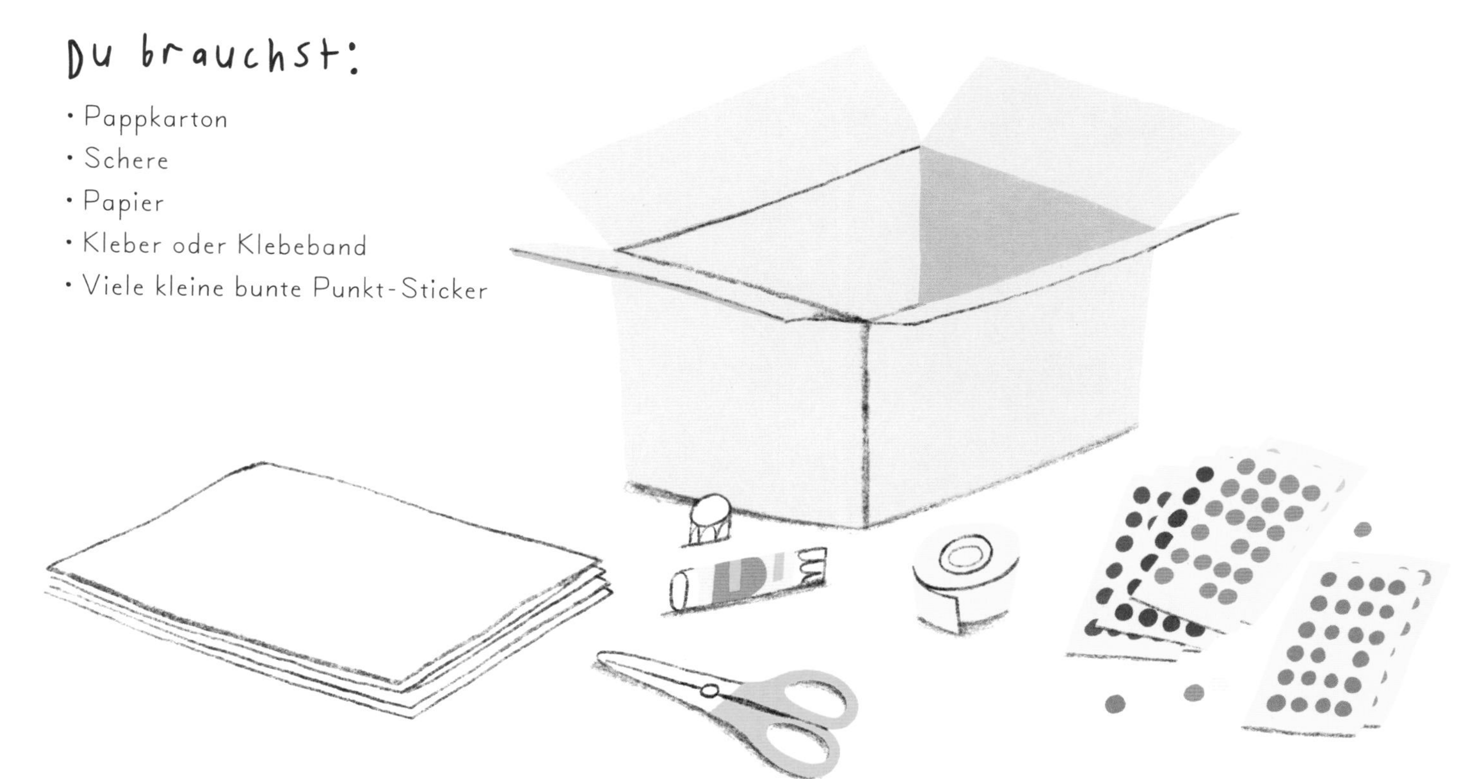

1

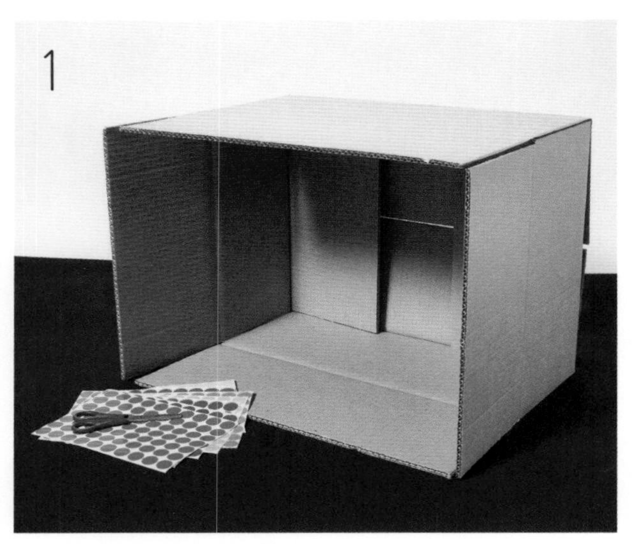

Zuerst bauen wir das Zimmer. Stelle den Karton so auf, dass Du hineinschauen kannst.

2

Schneide die Klappen am oberen Rand ab (Du kannst sie für ein anderes Bastelprojekt aufheben).

3

Klebe weißes Papier in den Karton, sodass er innen und außen weiß ist.

4

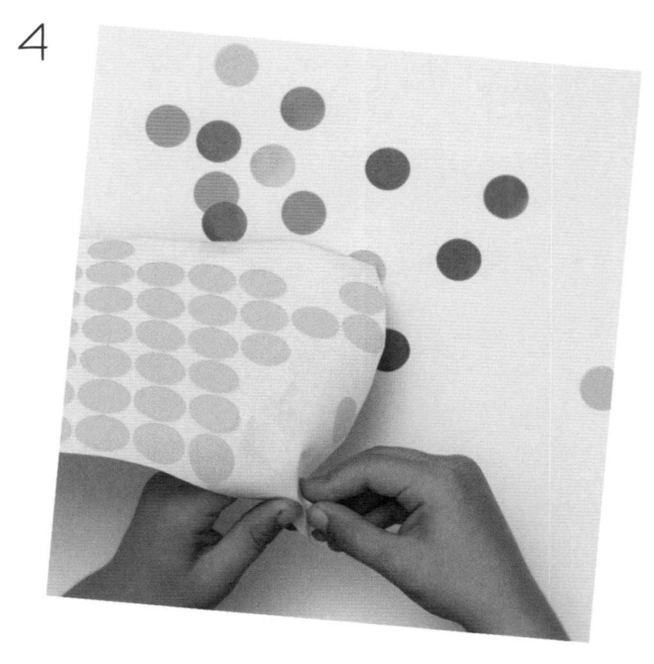

Beginne nun, den Karton innen mit bunten Punkten zu bekleben.

Top-Tipp! Versuche, die gesamte Fläche zu bedecken und so wenig Leerraum wie möglich zu lassen. Du kannst die Aufkleber auch übereinanderkleben.

5

Klebe so lange, bis das Innere des Kartons bunt ist. Versuche, die Farben während der Arbeit zu mischen.

6

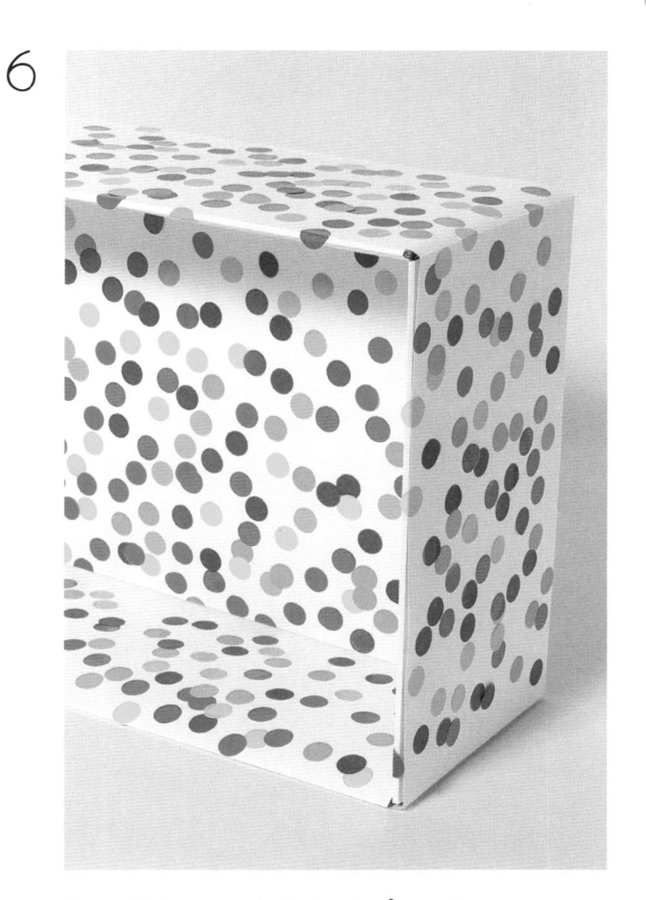

Zum Schluss wird die Außenseite der Schachtel mit Tupfen beklebt. Je bunter, desto besser! Wenn Du fertig bist, lade doch ein paar Spielzeuge ein, Dich zu besuchen.

Was noch?

Yayoi Kusama liebt Kürbisse. Bastle Deine eigenen, indem Du vier (oder mehr) Papierstreifen ausschneidest. Lege sie übereinander und drehe sie so, dass sie die Form eines Sterns haben. Klebe sie in der Mitte zusammen. Hebe die Enden jedes Streifens an und klebe sie oben zusammen. Du hast einen 3D-Kürbis gebastelt! Füge schwarze Sticker für einen Stiel und Punkte hinzu.

Liste der Kunstwerke

Seite 7: Pablo Picasso, *Claude, Françoise und Paloma malen (Claude dessinant, Françoise et Paloma)*, 1954. Öl auf Leinwand, 116 x 89. © Succession Picasso/DACS, London 2023. **Seite 12:** *Das gepunktete Pferd*, Höhle Pech Merle, Frankreich, ca. 15000 v. Chr. Prisma Archivo/Alamy Stock Photo. **Seite 16:** Zähltafel für Ziegen und Schafe, Telloh, Sumer, ca. 2350 v. Chr. Gianni Dagli Orti/Shutterstock **Seite 20:** *Hippopotamus ("William")*, ca. 1961-1878 v. Chr. Mittleres Ägypten, Meir, Grab B3 des Königs Senbi II, Kammer 1, Khashaba-Ausgrabungen, 1910, 20 x 7,5 x 11,2. The Metropolitan Museum of Art, New York. Schenkung von Edward S. Harkness, 1917. **Seite 24:** Fan Kuan, *Reisende unter Bergen und Bächen*, ca. 1000. Hängerolle, Tusche und helle Farbe auf Seide, 206,3 x 103,3. Palace Museum, Taipeh. **Seite 28:** Bleiglasfenster in der Kirche Sainte-Chapelle, Paris, Frankreich, 1242-48. Jan Willem van Hofwegen/Alamy Stock Photo. **Seite 32:** Maske aus Zedernholz mit Türkis-Mosaik, Aztekisch, ca. 1400-1521. Foto © The Trustees of the British Museum. **Seite 38:** Anni Albers, *Schwarz Weiß Rot*, 1926/1964 (hergestellt 1965). Gewebte Seide und Baumwolle, 179,4 x 122,2. Original hergestellt in der Bauhaus-Werkstatt (1919-1933), Dessau, Deutschland. Nachgewebt in der Werkstatt von Gunta Stölzl, Zürich, Schweiz. The Art Institute of Chicago/Art Resource, NY/Scala, Florenz. © The Josef and Anni Albers Foundation/Artists Rights Society (ARS), New York and DACS, London 2023. **Seite 42:** Barbara Hepworth, *Oval Sculpture (No. 2)*, 1943, hergestellt 1958. Gips auf Holzbasis, 29,3 x 40 x 25,5). Foto Tate. Barbara Hepworth © Bowness. **Seite 46:** Jackson Pollock, *Number 1, 1950 (Lavender Mist)*, 1950. Öl, Email und Aluminium auf Leinwand, 221 x 299,7. National Gallery of Art, Washington. Ailsa Mellon Bruce Fund. © The Pollock-Krasner Foundation ARS, NY and DACS, London 2023. **Seite 50:** Wifredo Lam, *Untitled*, 1974. Siebdruck in Farbe, 65 x 50). © Wifredo Lam Estate, Paris. © ADAGP, Paris and DACS, London 2023. **Seite 54:** Henri Matisse, *Die Trauer des Königs (La Tristesse du roi)*, 1952. Gouache-Papier, ausgeschnitten, montiert auf Leinwand, 292 x 386). Foto Centre Pompidou, MNAM-CCI, Dist. RMN-Grand Palais/Philippe Migeat. © Succession H. Matisse/DACS 2023. **Seite 58:** Louise Nevelson, *Total Totality II*, 1959-68. Farbe auf Holz, 258,1 x 429,9 x 24,8. Harvard Art Museums/Fogg Museum, Shenkung von Richard H. Solomon in Erinnerung an seine Eltern, Mr. und Mrs. Sidney L. Solomon. Foto © President and Fellows of Harvard College. © ARS, NY and DACS, London 2023. **Seite 62:** Hélio Oiticica, *Tropicália, Penetrables PN 2 'Purity is a myth' and PN 3 'Imagetical'*, 1966-67. Holzstrukturen, Stoff, Plastik, Teppich, Drahtgeflecht, Tüll, Patchouli, Sandelholz, Fernseher, Sand, Schotter, Pflanzen, Vögel und Gedichte von Roberta Camila Salgado. Abmessungen variabel. Mit frdl. Gen. von Lisson Gallery. © César e Claudio Oiticica. **Seite 68:** Jean-Michel Basquiat, *Trumpet*, 1984. Acryl und Ölkreide auf Leinwand, 152,4 x 152,4. Licensed by Artestar, New York. © The Estate of Jean-Michel Basquiat/ADAGP, Paris and DACS, London 2023. **Seite 72:** Tony Cragg, *New Figuration*, 1985. Plastik, 440 x 350. Foto Michael Richter. Tony Cragg © DACS 2023. **Seite 76:** Christo und Jeanne-Claude, *The Floating Piers*, Iseosee, Italien, 2016. Foto Wolfgang Volz. © Christo and Jeanne-Claude Foundation © ADAGP, Paris and DACS, London 2023. **Seite 80:** Andy Goldsworthy, *Rowan leaves laid around a hole*, Yorkshire Sculpture Park, 25. Oktober 1987. C-Type, 76 x 74,5. Mit frdl. Gen. Galerie Lelong & Co. © Andy Goldsworthy. **Seite 84:** Mrinalini Mukherjee, *Aranyani*, 1996. Gefärbter Hanf, 142 x 127 x 104. Foto Ravi Pasricha, Mrinalini Mukherjee Archive. Mit frdl. Gen. Mrinalini Mukherjee Foundation and Asia Art Archive. **Seite 88:** Kara Walker, *Keys to the Coop*, 1997. Linolschnitt, 101,6 x 153,7. Mit frdl. Gen. Sikkema Jenkins & Co. und Sprüth Magers. © Kara Walker. **Seite 92:** Yayoi Kusama, *The Obliteration Room*, 2002-heute. Installationsansicht in »Yayoi Kusama: Life is the Heart of a Rainbow«, QAGOMA, Brisbane, 2017. Möbel, weiße Farbe, Punktaufkleber, verschiedene Maße. Kooperation von Yayoi Kusama und Queensland Art Gallery. Commissioned Queensland Art Gallery. Schenkung der Künstlerin durch die Queensland Art Gallery Foundation 2012. Collection Queensland Art Gallery, Gallery of Modern Art. Photo Mark Sherwood, QAGOMA. © Yayoi Kusama.

Kunst? Kann ich!

© 2023 Midas Kinderbuch

ISBN 978-3-03876-271-3

1. Auflage

Übersetzung: Claudia Koch
Lektorat: Kathrin Lichtenberg
Layout: Ulrich Borstelmann
Projektleitung: Gregory C. Zäch

Midas Verlag AG
Dunantstrasse 3, CH-8044 Zürich
E-Mail: kontakt@midas.ch
www.midas.ch

MIX
Papier | Fördert gute Waldnutzung
FSC® C008047

Englische Originalausgabe:
mini ARTISTS
© 2023 Thames & Hudson Ltd, London
Text © 2023 Joséphine Seblon
Illustrationen © 2023 Robert Sae-Heng
Fotos © 2023 Thames & Hudson Ltd, London

Die deutsche Nationalbibliothek verzeichnet diese Publikation in der Deutschen Nationalbibliografie; detaillierte bibliografische Daten sind im Internet unter www.dnb.de abrufbar.

Für L&V und all die Künstler da draußen (die großen und die kleinen) zur ständigen Inspiration. Danke an Roger und Anna für die Betreuung von *Mini Artists* bei T&H und an Izzie, Kate, Lauren, Rachel und Robert, weil sie eine Idee in ein großartiges Buch verwandelt haben. - J.S.